改訂版

「地方」をマジメに考える

―交通・財政・観光・農業の実状をふまえた政策提言

Thinking Seriously About the Region

Maeda Yojiro
前田 陽次郎

リーブル出版

はじめに

毎日毎日コロナコロナコロナ、テレビをつけても新聞の見出しもＳＮＳ上でも、そればっかり。外へ出ればマスク顔だらけ。みんないつまでコロナ騒ぎを続けるつもりなんですか、と言いたくなる今日この頃。

そして、「ポストコロナの時代には密を避けるために、東京から地方へ人が動いて、テレワークなどが中心の社会になる」などという話が、あちこちで出ている。

はいはい、また始まりましたか、この手の話が。東日本大震災の後にもありましたね。東京には人が住めなくなる、西日本に多くの人が移住する、なんて話。でも、そうしたのはごく一部の人。大勢は何も変わりませんでした。東京一極集中は続くのです。と冷めた目でポストコロナの話を聞いているのが、私の現況である。

今の日本の地域構造を考えると、やっぱり東京一極集中が当分続くと考えるしかない。「地方に人が動く」という見方は、地方の現状と東京に人が集まる今の日本の仕組みを知らないから、そう思えるだけなのだ。

私もちょうどコロナ騒動のおかげで暇になっているので、この10年ほどの期間でインターネット上に書いた東京と地方の関係に関する話をまとめて本にしよう、という気になった。10年も日本の地域構造に関することを書いていれば、一つ一つの話は短くても、まとめれば新書本1冊くらいの分量にはなるな、ということで本書を仕上げることにした。

本書に掲載されている文章は、『アゴラ』というインターネットサイト[1]に寄稿したものと、『長崎の経済を考える』という私の個人ブログ[2]に、２０11年から２０１９年までに掲載したものから抜粋したものである。

私は大学入学を契機に生まれ育った長崎を離れ、東京に住むことになった。それから15年たち、東京の生活が嫌になったこともあり長崎に戻った。

しかし長崎の社会は「内輪の人間」だけで政治経済を動かしており、私が東京での生活で得た経験や発想を生かそうとする雰囲気は全くなかった。それでも何か生かせることは生かしてもらおうと、誰でも見ることができるブログに、いろいろな意見を書いておいた。

1 https://agora-web.jp
2 https://maedayojiro.blogspot.com/

また、地方に住んでいると、東京の人間がさも日本のことを何でも分かっているかのように発言し、世の中を動かしていることが気に障った。たまたま『アゴラ』というサイトで誰からの投稿も受け付けており、地方在住者の見方を東京の人に知ってもらう目的で、随時投稿するようになった。

こういった背景から、『アゴラ』には全国向きの内容を、「長崎の経済を考える」では長崎県内の話題を掲載している。本書は全国の読者を対象に考えているので、後者からは全国の人にも分かるテーマを中心に取り上げた。

構成は、内容別に大きく3章に分け、さらに2〜3の項目に分けた。各項目内の記事は古い順に並べている。

この10年の間に、変わらないこともあれば、変わったこともある。特に大きく変わったのが、インバウンドに関する認識である。最初の頃は欧米人中心だったものが、東アジアの地域へと変化した。そしてコロナ禍で全くなくなってしまった。

各記事には引用元と日付を記載している。今とちょっと認識が違うというものがあれば、書かれた時の時代背景まで考えていただければ幸いである。

目次

第1章　交通政策

1　整備新幹線

整備新幹線は早期全線開通を目指せ

『アゴラ』２０１２年１月22日掲載

タイトルはあえて刺激的にしています。

地方に住んでいると、東京の人たちと地方の人たちの間で、議論がかみ合っていないと思うことが多々ある。双方が同じ土俵の上で議論をしていないのだ。

もちろん多くのことは東京で決定されるので、どちらがいいか悪いかではなく、地方の人間も東京の人たちのベースで議論に参加しなければならないことは間違いない。

地方に住んでいて思うのは、東京の人たちと同じ土俵の上で議論できる人間の層があまりにも薄いということである。地方の人間は議論に参加できる機会が少ない、という問題もあったが、『アゴラ』でその機会を提供していただいたので、私も土俵の片隅に上がらせていただきたいなと思う。

さて整備新幹線に関する議論。以前、池田信夫氏が成毛眞氏のブログをリツイートされていた。

成毛眞ブログ[1]

よくもこんなお粗末な内容を成毛氏は世界にさらせたなと思ったが、こういう内容に反論する地方人がいなかったから、東京の人間は好き勝手にむちゃくちゃなことを言いまくっていると思うので、多少の抑止力になれば、とちゃちゃを入れ（反論とは言わない）させていただく。私ごときがコメントを付けても、ほとんど抑止力にはならないと思うが（苦笑）。

この記事での主張を大ざっぱにまとめると、以下のような感じになる。

・東京―札幌間に新幹線が開通すると、正規運賃は２９０５０円ほどになると予想される。

1 https://founder.hatenadiary.org/entry/20111227/1324947261

・それに対し、スカイマークの格安航空券は、往復ホテル1泊付きで18900円である。
・よって、新幹線に乗るのは、新幹線にタダで乗れる国会議員だけであろう。

どうです？　このむちゃくちゃぶり。ちょっと読んだだけで論理が破綻しているのが、誰にでも分かるだろう。

そもそも、正規運賃と格安運賃を比較して、何の意味があるのか。それでいえば、JALの正規料金は33670円なので、JALに乗るのは国会議員だけであろう、と成毛氏は予想するのだろうが（あいにく私は国会議員がJALにタダで乗れるのかどうか知らない）、成毛氏の予想に反して、JALに乗る客は多数存在する。

また似た論理でいえば、JALの正規運賃33670円に対し、新幹線の正規運賃は29050円になるので、今JALに乗っている人は、全員新幹線に乗ることになるだろう。だから、早く東京―札幌間に新幹線を開通させた方がいいという結論も導き出せる。

成毛氏が大きな間違いをしているのは、価格が市場原理によって導き出せるということを知らないからだ。正規運賃は建前であり、実際には競合他社の値段を見て、競争力を持てる割引価格を提供するのだ。こういうところで、人間の思考回路がどうなっているかを垣間見ることができる。とっさの発言で、その人が本質的にどういう思考をしているのかが分かる。

多分、成毛氏は、価格はコストに適正利潤を上乗せして形成されるという、マルクス経済学的価格形成論によって立つ人なのだろう。また、新幹線がいまだ国鉄によって運行されていると思っているのではないだろうか。多くの人はご存じの通り、新幹線は現在民間企業によって運営されている。今は、若い世代は「国鉄」とは何なんだか全く知らないという時代になっている。

話を元に戻すと、実際に新幹線が開業している東京―博多間では、ツアー料金どうしを比較すると、飛行機とＪＲが同じような価格に落ち着いている。この例から示される議論の方向性としては、「東京―博多間の事例からしても、運賃は新幹線、飛行機とも同じ水準に落ち着く。そして、所要時間が同程度の東京―博多間の飛行機と新幹線のシェアから、東京―札幌間の新幹線利用客は○人程度と予想される。この場合の利益は○円程度になるから、ＪＲは○円程度の黒字（もしくは赤字）になる」というものであろう。

私はなぜこういう馬鹿なブログ記事を池田信夫氏がリツイートしたのか真意が分からない

が、池田氏は普段から経済学的思考が一般に浸透していないことを憂いていらっしゃるので、その悪い例として、このブログ記事をさらしたかったのかなとでも思うことにする。

北海道新幹線の利用客は東京—札幌間の旅客だけではない

『アゴラ』２０１２年１月22日掲載

タイトルだけ見て、「当たり前じゃないか」と思った方、当たり前の発想をお持ちです。ただ、このことを当たり前に思わない人もいらっしゃるようで。

この前の私の記事に対する反論として、「東京—札幌間を新幹線で移動する旅客は少ないから、北海道新幹線は無駄だ」という意見を述べられる方が何人かいた。しかし、その理屈が成り立つのは、北海道新幹線の乗客が東京から札幌まで行く客だけしかいない場合である。

例えば、東京から札幌までの予想されている所要時間と同じ程度の時間がかかっている東京―博多間を、新幹線で移動する人の割合は低い。東京を起点にして、新幹線が競争力を持つのは広島までだと言われている。では、広島博多間の新幹線は無駄なのであろうか。

そんなことはない。東京起点に考えれば確かに新幹線の優位性があるのは広島までだろうが、博多起点に考えると、新大阪までは競争力が高く、名古屋まででも飛行機といい戦いをしている。東京から博多まで新幹線に乗る人は少なくても、広島―博多間は十分採算が取れているのである。

これはごく当たり前のことだ。その程度のことは誰にでも理解できるだろう。東京から博多まで新幹線に乗る人が少ないからといって、広島から博多までの新幹線は無駄だという理屈にはならないのだ。

これを北に目を向けるとどうなるか。東京から札幌まで新幹線に乗る人が少ないだろうということを理由に、函館―札幌間の新幹線が無駄だと言っていいのだろうか。

札幌起点に考えると、函館までの道内旅客は現状でも相当数あり、青森まで、盛岡まで、仙台までの乗客も、飛行機から大幅に移ることは予想できる。

つまり、函館―札幌間の新幹線が無駄だと言うためには、道内旅客と札幌から東北各地へ利用客がどれくらい見込めるかを示した上で、その数が少ないから無駄だ、という理由付けが必要だ。

私がここに書いたことは、誰が読んでも当たり前のことだろう。しかし、その当たり前のことすら考えつかずに、東京―札幌間の旅客が少ないことだけを理由に、北海道新幹線が無駄だという意見を言う東京人の視野の狭さと思考力の浅さは、地方に住む人間がしっかり指摘しておかないといけない。

新幹線の値段はどうやって決まるか

『アゴラ』２０１２年1月26日掲載

一般の人に経済学的な考え方が理解されていないと嘆く経済学者は多いようだ。

実際に、私が書いたこの記事やこの記事に対するコメントでも、値段がどうやって決まるのかが理解されていないと感じるものも多い。

ここでは、値段の決まり方について経済学ではどう考えられるのかということを説明したい。

まずコメントを読んでて感じた、世間における最大の誤解は、「安ければ客は乗る」という考え方だ。突き詰めれば、「タダなら客は乗る」ということである。実際に運賃がタダだったら、人はその交通機関を利用するのだろうか。

成毛眞氏のブログによれば、「航空機に比べ3倍以上も割高な新幹線に乗るのは国会議員だけかもしれない。なにしろ彼らは無料でグリーン車に乗ってどこまでもいけるのだ」という理屈になるようだ。しかし、国会議員はタダなら東京—札幌間を新幹線で移動するのだろうか。

所要時間でいえば、東京—札幌間の計画所要時間と東京—博多間の現在の所要時間に大差はない。となると、福岡選出の国会議員は新幹線ならタダだから新幹線を利用しているのだろうか。

私は長崎—東京間を平均して月に1回程度の割合で移動している。それなりの航空運賃を負担しているのだが、たとえタダだと言われても、ＪＲを使って長崎から東京まで移動しようとは思わない。

そして長崎—東京間の飛行機で、何人かの国会議員と一緒だったことがある。彼らはＪＲなら無料なのだが、実際には飛行機を利用していたようだ。

そもそも、「タダなら利用する」などというのは人を愚弄している考え方で、まともなビジネスマンの発想ではない。

また新幹線で5〜6時間かかるのなら、飛行機より3割安くしてほしいな、という意見も見られた。では、ＪＲは飛行機より3割下げるという戦略を取るのだろうか。

値段差が生まれ旅客が移動手段を変えるとしても、全員が同じ行動を取るわけではない。3割安いから新幹線を利用する人もいれば、それでも飛行機を選ぶ人もいる。鉄道会社の戦略としては、値段を下げることによって、どれだけの乗客増を見込めるか、ということが重要になってくる。

例えば値段を3割下げた場合、旅客が1・44倍にならないと売り上げは下がる。例えば東京―博多間の新幹線料金を飛行機から3割下げたとして、客が1・44倍になるのだろうか。私の主観だが、値段を3割下げた所で、旅客増はせいぜい1割程度だろう。となると、結果として売り上げは下がるので、ＪＲが値段を下げるという選択肢はなくなる。

では客が少ないからといって、値段を上げるとどうなるか。値段を1割上げても、客が1割減る程度なら減収にならないが、増収を狙って値上げするのだから、旅客減はそれ以下にとどめたい。しかしこれも主観だが、飛行機より新幹線の値段が1割高くなると、客は3割以上減るのではないだろうか。

この両方を考慮すると、ＪＲの売り上げは飛行機と値段をそろえた時が最大になる。あとは、この最大の売り上げのなかでコストを下げる努力をし、利益を増やすという経営戦略になる。

日本の新幹線と飛行機の間には「４時間の壁」と呼ばれる経験則がある。これは新幹線の所要時間が４時間を越えると飛行機の競争力が高く、それ以下だと新幹線が優位になるというものだ。この経験則に値段という要素は入っていない。

このことは、この記事に書いたようなメカニズムが働き、飛行機と新幹線との間には価格競争は大きく働かず、所要時間のほうが重要度が高いということを示しているのだ。

『アゴラ』２０１２年2月3日掲載

長崎新幹線は絶対に必要である

今回は九州新幹線長崎ルート（以下、分かりやすいように長崎新幹線とする）の話。東京人の論理だと、無駄以外の何物でもないみたいだが、きちんと地元の意見も公にしないといけない。東京のマスコミは東京中心の意見しか出さない。ネット社会では、同等に地方の意見も公表できるので、ここに書かせていただきたい。

繰り返し書くが、整備新幹線は絶対に必要である。財源がないから新幹線整備はやるべきではないという意見も多いが、経済成長のためのインフラ投資は必要である。これからもう一度高度経済成長を、なんていうことはあり得ない話だが、何もしないと日本はこのままジリ貧になっていく。それを食い止めるためにも、必要な投資は惜しむべきではない。整備新幹線は投資効果がないという東京人も多いが、ちゃんと投資効果があると判断されて着工が決定したのだ。投資効果がないと思う人は、単に「効果がない」という思い込みだけで物事を判断しているのであって、そういう人は視野が狭いというだけのことである。

そもそも新幹線はどういう理由で建設されたのか。もともとは、在来線が逼迫《ひっぱく》してきたため、新しい線路を引こうという発想からである。東海道新幹線は東海道本線が混雑していたことから構想が起こり、今JR東海が自費で建設しようとしている中央リニアにしても、東海道新幹線の輸送量が逼迫しているから話が出ているのである。

では長崎新幹線。これも地元の賛成派の多くは、在来線が逼迫しているから建設を願っているのだ。

長崎本線は現在、日中特急列車が1時間に2本程度走っている。当然これだけで逼迫しているとはいえないのだが、問題なのは、肥前山口―浦上間の約80㎞が、諫早―喜々津間の6・5㎞を除き単線であるということだ。

1時間に2本特急が走っていると、15分に1回は行き違いのため停車しないといけない。この単線区間の中で、肥前鹿島―諫早間は40分間停車駅がない。この区間でも当然列車交換は必要なので、停車駅でもない所で2回は列車交換のために停車する。

ダイヤが平常通り運行されていれば停車時間も短いが、当然多少乱れることはよくある。そうなると、停車待ちの時間が増え、どんどん遅れが拡大されていく。

「それくらい我慢しろ」と東京の人は言うのかもしれないが、長崎の人間からすると、「ふざけるな」という感覚だ。東京は線路が複線で当たり前だから、単線のイライラは分からないだろうと言いたい。新宿から甲府に行く時に、八王子を出て甲府までの間に停車駅でもない所で3回も停車されたらどう思うだろうか。今でも新宿と八王子の間で快速列車がつかえてノロノロ運転になってイライラする人もいるだろうが、その比ではないのだ。

そもそも東京の複線の線路は、国鉄時代に地方から吸い上げた税金で、全額国費で作ったものだろう。地方に対するその恩を忘れて何をいまさらという感覚になる。傾斜生産方式という言葉を聞いたことがないのだろうか。本をただせば、長崎本線のこの区間が国鉄時代に複線で整備されなかったことに原因がある。

国鉄時代の路線整備は、国が国家全体の経済成長のために国家戦略的に行われた。その時代の路線整備は、旅客より貨物が中心であった。だから関東近郊や、かつては国家戦略であった北海道・筑豊の炭鉱地帯に、複線の路線がしっかりと整備された。

これは残念ながら戦略ミスだったといえよう。炭坑路線は必要性が薄れ、ほとんどの枝線は廃止された。そして関東地区の過剰ともいえる複線の貨物線整備についても、詳しく検証されるべきではないだろうか。

例えば横須賀線の品川―鶴見間や湘南―新宿ラインはもともと貨物線である。利用度の低い貨物線が旅客用として再利用できたという意味で無駄にはなっていないが、本来の目的は失われている。

京葉線や武蔵野線も貨物線として建設された。これも旅客線として活用されている。しかし、武蔵野線の鶴見―府中本町間は、今でも貨物専用である。このほとんどトンネルの約25kmが、複線で整備される必要性はどれだけあったのだろうかと、特急列車が交換待ちで15分ごとに停車させられる長崎本線の利用者からすると、文句の一つも言いたくなる。

他にも、現在りんかい線として利用されている東京湾地下のトンネルも、貨物線として複線で整備されたものである。これだって利用されないまま地下に眠っていた。今はりんかい線として利用されてはいるが、そこまでお金をかけてりんかい線が必要なの？と言いたい。この海底トンネルだって、地方から吸い上げた税金を使って東京の整備をしたあげく、それが十分に活用されているかについては疑問符がつくものである。

こういう東京での無駄な税金を使った路線については一切言及することなくして、整備新幹線についてだけ無駄だ、などと言うのはフェアでない。

話を長崎に戻す。

長崎の新幹線建設推進派の意見としては、やはり複線の線路が欲しいという意見が大きい。これだけの輸送量がある区間が単線で放置されているというのは、やはりおかしいというのが素朴な気持ちだ。

そして、国鉄時代であれば全額国の金で複線工事もできたのであろうが、今は国鉄が分割民営化されたので、ＪＲ九州には自力で複線化する体力はない。そうなると国に支援を求めるしかないのだが、今の制度だと国が建設費を多く出せるのは新幹線しかないのだ。だから新幹線をお願いするという考え方が強い。

今回新規着工の方針が出ている諫早―長崎間は、すでに建設されている肥前山口―諫早間（新線建設区間は武雄温泉―諫早間）に比べて輸送量がはるかに逼迫している。肥前山口―諫早間を走っているのはほとんど特急列車で、普通列車は日中でも5時間以上走っていないという時間帯もあるような状況である。それに対し、諫早―長崎間は県内の動脈であり、1時間2本の特急以外にも、快速と普通列車が1時間に1本は走っている。逆にいえば、県内最大の動脈区間であるにもかかわらず、普通列車が1時間に1本しか走れないくらい、線路がいっぱいなのである。

新幹線本来の目的である、輸送量の逼迫した在来線を緩和させるためということからすると、諫早―長崎間こそ早急に建設されるべき区間なのである。

結論として言えるのは、国鉄時代に先の見通しが悪く長崎本線を複線化しなかったばかりに、新幹線というもっと高いものを要求されたということである。それは見る目がなかったんだから仕方がない。国の見る目がなかったことの責任を長崎に押し付けてはいけない。そこは国に尻拭いしてもらって当然である。以前なら全額国費で建設できていたものを、地元負担している分だけまだ良心的ではないか。本来なら全額国費負担を求めても筋違いではないことなのである。今「もっと高いもの」と書いたが、全額国負担でない分、複線の在来線を建設するより国の負担額は低いかもしれない。

つまるところ、武蔵野線の鶴見―府中本町間の25㎞に複線のトンネルを掘るお金があれば、諫早―長崎間の25㎞に複線のトンネルを掘っていれば済んだ話だったのかもしれない。もっと言うと、諫早―長崎間の単線区間である喜々津―浦上間には、１９７２年に単線の新線を作っているのである。この時に、単線ではなく複線で建設しておけばそれで済んでいたのかもしれない。なんという先を見る目のなさという感じである。

昔、地方から吸い上げた税金で東京圏の整備をして無駄な路線を作ったんだから、今度は長崎の整備をしてもらうのは当然のことであろう。

インバウンド観光客の増加には新幹線と定期航空路が不可欠

『長崎の経済を考える』２０１８年1月29日掲載

先週仕事で香港に行ってきた。今日はその時の話題を書く。

香港人の通訳の人が、先日九州に旅行に来た、という話をした。どこへ行ったのか聞くと、福岡と熊本と言う。

そして熊本では、熊本城はさておき、「くまモンスクエア」に来て、くまモンに会ったと言って写真まで見せてもらった。

くまモンスクエアにいつもくまモンがいるわけではない。ホームページにくまモンがいる時間を公開しているので、それを見て、くまモンがいる時間に合わせてくまモンスクエアに行ったということである。

そして長崎には来たことがあるのか聞いたら、ないという。香港人で長崎に来る人は少ないとも言っていた。理由は、新幹線が走っていないことと、直通定期航空路がないことである。

香港と鹿児島との間には定期航空路がある。そのため、九州新幹線を利用して福岡から入国し鹿児島から帰国する、などのルートで旅する人が多いとのことである。

このことは以前から分かっているのだが、果たしてそれを長崎の人がどれだけ理解しているのであろうか。

もちろん、香港からの旅行者を増やすためだけに新幹線を作るべきだ、というのは言い過ぎである。

しかし、「自分には必要がないから」という理由で新幹線建設に反対する、というのはいかがなものかと、常々私は思っている。

「自分が必要だと思うかどうか」だけを中心に物事を判断するという姿勢はもうやめてほしいのだ。長崎の人がどうするかを中心に長崎のことを組み立てても、ジリ貧になるのは明白である。今はよその人がどう思うのか、から考えるようにしなければならない状況なのだ。

繰り返す。「自分には必要ないから要らない」という発想はもうやめよう。

香港からの帰りの飛行機で、機内モニターで現在地を見ると、香港発福岡行きの飛行機は長崎市、長崎空港、ハウステンボスの上空を通って、福岡空港に向かう。

いつも思うんだけど、この飛行機が長崎空港に着陸してくれればどれだけ楽か。そう、私が楽をしたいから香港と長崎を結ぶ定期航空路が欲しいのである。

長崎への欧米人観光客を増やすには、広島と長崎を新幹線で結ぶことが重要

『長崎の経済を考える』２０１９年８月２日掲載

日本に来る外国人観光客が増え続けていることは周知のとおりだ。また、国によって滞在中に使うお金が違うこともよく知られている。簡単にいえば、アジアの国からの観光客に比べて、欧米からの観光客の方が長期滞在し、たくさんお金を日本で使ってくれるということだ。

長崎県内には毎日のように大型クルーズ船が寄港しているが、そのほとんどが中国からの船である。県内に滞在するのは日中だけでほとんど地元でお金を使わないということは、これもう当然のことのように語られるようになっている。

では、どうしたら欧米からの観光客を長崎に呼べるのだろうか。一番早いのは、新幹線で広島と長崎を結ぶことだ。

私は今広島に来ているのだが、いつ来ても欧米人観光客の多さに驚かせられる。新幹線ホームに立つと、日本人より白人のほうが多いようにさえ感じられる。これは、ＪＲのフリーパスを持った観光客が、大阪から新幹線で来ていることが要因である。欧米人観光客は長期滞在する傾向にあり、関西に滞在している人たちが広島まで来ているのだ。これはこれで日帰り観光客が多いという問題にもなるのだが、とにかく欧米人の多さにはびっくりする。

新幹線で広島と長崎を直接結ぶことができれば、この観光客を長崎まで呼ぶことは十分可能である。ＪＲパスを持っている外国人旅行者であれば、追加料金なしで長崎まで来ることができるのだ。

こうして関西から広島、長崎が新幹線ネットワークで結ばれれば、今は広島を日帰り訪問している観光客も、広島や長崎で宿泊することが期待できる。ルート的には関西を朝出て、日中広島を観光して夜は長崎へ、という流れができないだろうか。

特に欧米の富裕層に宿泊してもらうためには高級ホテルが不可欠になっている。広島にもヒルトンホテルができるし、長崎にもヒルトンができる。ヒルトンホテルのネットワークで、広島と長崎への欧米人観光客を集めてもらうことも可能だろう。

また、関西から長崎まで来てもらえば、帰国は福岡空港からというパターンも強化したい。現在福岡空港には夏季限定だがフィンエアーの直行便が運行されている。この便を使ってヨーロッパから片道は関西、片道は福岡という流れを作れば、福岡空港の活性化につながる。

北米方面へは、サンフランシスコへの直行便開設を期待したい。福岡空港側は、福岡市のIT企業振興のためにも、サンフランシスコへの路線開設を望んでいるようだが、需要が見込まれないため航空会社側からいい返事がもらえていない。

申し訳ないが、福岡単体だと北米からの需要を喚起できる力はないと思うが、広島と長崎を組み合わせることにより、福岡空港の利用者を生み出す方向性はあるだろう。ユナイテッド航空はサンフランシスコをハブ空港にしており、サンフランシスコと関西空港を結ぶ定期便も持っている。ここと組み合わせることにより、北米からも関西ｉｎ、福岡ｏｕｔのルートを作ることができる。

山陽新幹線と長崎新幹線を直通させるとこういう需要も期待できる。「自分が乗らないから新幹線は要らない」という視野の狭い意見ばかりいう人には考えを改めてもらいたい。

2 航空路

日本版LCCは新たな旅行需要を喚起できるか

『アゴラ』2012年7月17日掲載

ここでは日本初の本格的LCC（格安航空会社）であるピーチアビエーションの関西―香港線の話題を中心に述べる。

海外ではすっかり定着しているLCCという形態が日本でも今年になってピーチアビエーション（Peach）、ジェットスタージャパン、エアアジアジャパンの3社が運行開始することになり、日本も本格的なLCC時代を迎えるか、ということが最近話題になっている。

LCCの特徴についてここでは詳述しないが、一つの見方としてLCCは定時運行に対する信頼性の低さなどからビジネス客向きではなく、その低価格性から従来飛行機に乗らなかった新たな層を発掘するので航空旅客需要を増やす効果があり、既存航空会社と両立できるということがある。
関西空港を拠点にするPeachは7月1日より、同社で最長路線となる関西香港線を就航させた。就航記念として片道4980円（サーチャージ不要、別途空港利用料等が必要）という格安のチケットを発売したので、筆者もそれに釣られて発売日にチケットを予約し、先日香港まで往復してきた。確かに4980円という値段は魅力的で、私に対しては新たな需要を喚起させることになったのだ。

私は現在長崎に住んでいるので、普段香港へ行く時には福岡空港からの直行便を利用している。もちろん直行便の方が便利なのだが、関空から香港までの安いチケットが入手できたので、長崎から関空までもPeachの国内線を利用することにした。ここでもLCCの安さから福岡からの直行便ではなく、関空乗り継ぎという新たなルートに利用価値が生まれたことになる。長崎から福岡まで陸上を移動する時間と、長崎から関空まで飛行機で移動する時間に大差はないということもある。

さて関空から香港までの行きの便だが、見た感じ日本人より香港のパスポートを持った人の方が多い。そして比較的若い女性が多い印象だった。Peachの戦略としては、若い女性の旅行需要を喚起したいということがあるようなのでその点では成功か。

日本人より香港の人の方が多いということはPeachが日本の航空会社という点ではちょっと意外だが、冷静に考えるとなるほどなという感じだ。

Peachの香港線は、日本に住む人にとっては利用しにくい時間帯だ。関西発21時20分で香港着0時05分、帰り便は香港発0時50分で、関西着は5時30分。この時間帯に設定されるのも、LCCのビジネスモデルとしてできるだけ飛行機を休ませず有効活用するということがあり、国内線では就航できない夜中の時間帯にちょっと香港まで一往復して一稼ぎしてくるか、という理由からなので、今後時間帯が大きく変わることはないだろう。

それにしても、香港の夜中の12時に着いてもそこから先が大変だ。香港の人なら家に帰ればいいのだろうが、旅行者はそうはいかない。荷物を受け取って入国審査を済ませると、1時頃になるかもしれない。そこからホテルに向かうのに、タクシーを使ってはLCCを使う意味が半減する。香港の空港は路線バスが24時間走っているから足には困らないが、バスだと市街地まで1時間程度かかる。そうなるとチェックインが夜中の2時、なんてことになりかねない。

私は最近年に3回程度は香港に行っていて、入国審査を早く済ませられるパスも持っている。そのため途中の手続きで戸惑うこともなく、預け荷物もなかったので、飛行機が早着したこともあり、12時前には入国できた。そのままトラブルなくホテルに着けたが、それでも部屋に入ったのは夜の2時近くになった。正直、いくら安くてもここまでして香港に行きたくはないと感じた。

ＬＣＣは座席も狭く、機内での快適性も劣る。いくら航空券が安くても、往復の道中で苦しい思いをしてまで現地に行きたいと思わせる魅力が旅全体としてあるのかということが、新たな需要を喚起できるかどうかの鍵になるだろう。Ｐｅａｃｈの香港線の女性の例でいえば、香港の人にとっては、そこまで時間も悪くないし、それ以上に特に香港の女性にとっては日本に来ることに対する魅力が大きいので、これから需要は伸びるのではないかと思う。逆に日本の人には、いくら航空券が安くてもそこまでして香港に行きたいという魅力が香港旅行にあるのかは正直言って疑問である。少なくとも私は一度利用してみて、もうＰｅａｃｈで香港へは行きたくないと思った。香港に行くなら従来通り福岡からの直行便を使いたい。

Ｐｅａｃｈの国内線を見ても、関西―長崎便は時間帯が悪いこともあり、搭乗率が上がらないようだ。いくら安くても、そこまでして長崎に来たいという魅力が残念ながら長崎にはないようだ。それに対し、飛行時間は長崎便より長いながらも、関西―札幌便は好調のようである。それだけ関西の人にとって北海道旅行の魅力は大きいのだろう。

ＬＣＣが今後成長するには、需要があるターゲットを絞り込んでそこに対する営業を強化することが重要であろう。Ｐｅａｃｈの香港線の場合、日本での需要を増やすよりは香港での認知度を高める方が成功する可能性は高いと感じた。関空での香港便と札幌便の接続をよくすることにより香港から北海道への観光需要を喚起できれば、さらに伸びるだろう。

航空機を極力休みなく使うというＬＣＣのビジネスモデルを生かすには、使いやすいダイヤの設定という点では柔軟性が低い。その制約の中で作られたダイヤの上で需要を喚起できるターゲットがどこにいるのかを見定めていくことが、ＬＣＣ成長の鍵になるのではないだろうか。

ハブ空港の機能で重要なのは制限区域内の施設の充実度

『アゴラ』２０１３年11月27日掲載

そもそも「ハブ空港」って何なの?という定義が大事なので最初に示しておく。

ここでいう「ハブ空港」とは、空港のある都市が目的地なのではなく、乗り換えのために使う乗り換えに便利な空港である。

そして、長崎に住む私が上海浦東空港をハブ空港として利用した経験を紹介したい。

まず、「地方の住民は、ソウル仁川をハブ空港として利用していて、成田を使っていない。」という話が世間では広く語られているようだが、これは東京の人間が流しているデマである。ここ[1]に統計があるが、三大都市圏以外からソウル経由で海外に行く人の数は、東京（成田＋羽田）で飛行機を乗り換えて海外に行く人数の1割以下であるし、そもそも地方から仁川経由で海外に行く人数に比べ、三大都市圏から仁川経由で海外に行く人数が倍以上あるのが現実だ。

私も最近では年間10回程度海外旅行をしているが、回数的に一番多いのは羽田成田乗り継

1 http://www.nilim.go.jp/lab/bcg/siryou/tnn/tnn0603pdf/ks060304.pdf

ぎであり、その次が陸路で福岡まで行き、そこから国際線というパターンである。長崎からソウル行きの飛行機も就航しているが、いまだに一度も仁川空港を利用したことはない。

ところで先日香港に行ってきた。普段は福岡発の直行便を使うのだが、今回は長崎空港発の上海便を使って、上海乗り継ぎで香港に行ってみた。この経路が安かったという理由が大きいが、長崎から陸路で福岡まで行く時間で、長崎空港から飛行機に乗れば上海に着いてしまうので、一度上海乗り継ぎも試してみたいな、と以前から思っていた。上海から日本の地方路線を複数開設している中国東方航空は、上海をハブとして日本の地方住民に使ってもらおうと少しは考えているようでもあったし、取りあえず一度試してみた。

それで、その感想なのだが。

正直言って上海浦東空港で何時間も過ごすのはつらかった。何もすることがないのだ。乗り継ぎのために上海に行っているのだから、中国には入国しない。だから乗り継ぎに費やす数時間は、制限区域の中で過ごすことになる。

私は中国東方航空が所属する航空連合「スカイチーム」のステータスは持っていないの

で、中国東方航空が提供するラウンジには入れない。そこで空港の制限区域内では、いわゆる「カードラウンジ」に入った（正確には「Ｐｒｉｏｒｉｔｙ Ｐａｓｓ」の資格で使えるラウンジ）。ここの施設がとにかく貧弱。

どこのラウンジも利用しない人は免税店を回ったり飲食店に入ったりして時間をつぶしたいだろうが、これまた貧弱。

ハブ空港として発達してきた香港空港やシンガポール空港はとにかく制限区域内の施設が充実している。何時間もの乗り継ぎ時間を退屈させないようにそういう意図で施設の充実を図ってきたからだ。ソウル仁川も行ったことはないが、やはり制限区域内の施設は充実していると聞く。

日本ではどうだろうか。なぜか「ハブ空港としての首都圏空港」という議論になると「都心とのアクセス」という話が最大の問題のように聞こえるが、その重要度は低い。

「ハブ空港」として利用される空港では、利用者がそもそも入国すらしない場合が多い。だから、制限区域内の施設がどれだけ充実しているかが最大の問題なのである。

もちろん乗り継ぎ時間が相当長ければ、一度入国し、その間に都心に行って観光することはあるし、シンガポールなどトランジット客向け都市観光のプログラムを充実させている空港もある。この場合は都心とのアクセスをよくする必要性はあるが、ハブ空港の機能としての重要度は高くない。

最近は羽田も成田も、こういう本来の意味での「ハブ空港」としての機能を充実させようという動きが出ている。これは、羽田国際化によって地盤沈下を恐れる成田側の自発的な要因が大きいと感じている。決して「国として」ハブ空港をどうするべきかという観点から施策が打たれているわけではない。

話を元に戻す。

上海浦東空港を乗り継ぎで利用するのはちょっと勘弁、という感想だ。浦東を使うくらいなら、遠回りにはなるがＰｅａｃｈを利用して関空経由で香港に行く方が気分的にははるかにいい。まあ実際は、今までどおり福岡空港利用が一番多いかなと感じた。

余談になるが、もし長崎香港の直行便が実現したら（検討はされているみたいだが）、アジアヨーロッパ方面への旅行は、香港経由にしようと思っている。香港は経由地として魅力的だからだ。

羽田成田の直結鉄道は誰も利用しない

『アゴラ』２０１４年6月15日掲載

今日（２０１４年6月15日）の日経新聞で、「羽田・成田を直結させる鉄道を建設しよう」という話が記事になっている。

この話は何度も出てくるのだが、果たして羽田と成田を直接移動するための鉄道は必要なのだろうか。普段から羽田・成田を移動している地方在住者の立場で意見を述べる。

結論からいえば、必要度の低い公共事業を行うために関東住民の理解を得られそうなネタを作っているだけのことである。地方で公共事業を行うことに対しては、関東住民からの批判が強いが、関東で公共事業を行うのであれば、関東住民からの批判は起こりにくいという現実を突いているのだ。

「必要性」の根拠を地元負担という点から客観的に考えてみたい。例えば整備新幹線では地元負担があっても建設したいとの地元の声が強いが、この羽田成田直結鉄道については、地元負担を嫌って、少なくとも東京都知事が舛添氏の間は具体化することはないように感じられる。都知事が必要性を認めていないのだ。

羽田・成田直結鉄道の必要性について、二つの点から考えてみる。

一つは、そもそも羽田成田の移動は不便なのかということ、もう一つは、不便だとしても本当に鉄道が必要なのかということである。

まず羽田・成田の移動が不便なのか。普段から移動している立場から印象をいえば、確かに不便ではあるけど、実はそこまで不便ではない。

その理由は、リムジンバスが高頻度で両空港を結んでいるし、このリムジンバスはあらゆるルートを使ってとにかく遅れないように努力をしてくれるということだ。

そのため、同一航空会社であれば、羽田国内線と成田国際線の最短乗継時間は3時間に設定してある。国際線の乗り継ぎで3時間というのは、接続便の都合で、外国の空港で乗り継ぐ場合にもごく普通に必要になる。だから、決して不便と言いきれる時間ではない。

地方空港から国際線への乗り継ぎをすることを考えてみる。いくらソウル仁川空港の接続時間が45分に設定されているからといって、45分に近い時間で乗り継ぐことは、便数の都合上まず不可能である。地方空港と仁川を結ぶ路線が1日3～4本設定されているなら、比較的短時間で乗り継ぎできるかもしれないが、現実にそういう空港はない。

一方、地方と羽田を結ぶ路線は、比較的高頻度である所が多い。だから3時間に近い時間で乗り継ぎが可能で、ソウル乗り継ぎより羽田・成田乗り継ぎの方がはるかに便利なのである。

ちなみに一時期、地方空港から海外へ行く人は、みんなソウル経由で成田を利用していない、という話が大きく広まった。これも羽田を国際化して東京の人が成田まで行かずに海外へ行けるようにするため、羽田のインフラ整備（公共事業誘致）を正当化する印象操作である。実際に地方からソウル経由で第三国に行く旅客の数は、羽田・成田乗り継ぎ客の1割以下しかいないのである。そして、以前『アゴラ』にも書いた通り、羽田空港ですら巨大な経常赤字を生み出す原因になるD滑走路を建設したのだ。

次に、本当に直結鉄道が必要なのかという点である。

現状、多くの人はリムジンバスを利用して羽田・成田間を移動している。

リムジンバスであれば、到着口で荷物を受け取って、同じフロアでバスに乗れ（しかも荷物の積み下ろしはリムジンバスの係員がやってくれる）、空港に着いたらこれまた同じフロアの移動だけでチェックイン手続きができる。これが本当に便利なのである。

もし鉄道ができればどうだろうか。

羽田にしても成田にしても、駅のホームは地下にある。地下まで海外旅行の大きな荷物を運ばないといけない。これは本当に不便である。

私の場合、ターンテーブルで荷物を受けとるとその場で空港備え付けのカートに乗せてバスまで運ぶことが多い。バスの前まで荷物を持っていけば、ほとんどの場合カートはリムジンバスの係員が所定の位置まで返してくれる。ところが鉄道になると、カートを鉄道のホームまで持ち込むことは基本的に不可能である。そして、荷物は自分で車内に積み込まないといけない。

ここまでの手間をかけて、果たして羽田・成田の乗り継ぎ客が鉄道を利用するだろうか。

所要時間はどうだろうか。

現状、リムジンバスの所要時間は羽田第1ターミナルから成田第2ターミナルまで1時間15分である。鉄道が両空港間を30分で結べるのなら（リニアでも引かないと不可能）、鉄道を利用するかもしれない。しかし、羽田で到着口から駅のホームまで10分、成田に着いてからチェックインカウンターまで10分かかると、もう50分。バスは10～20分間隔だから、あまり待たずに乗れるけど、鉄道が40分間隔だったら、30分くらい待たされるかもしれない。となると、仮に羽田と成田を結ぶ鉄道が所要時間30分であったとしても、バスに対する時間的優位性はないのである。

もちろん官僚もその辺は分かっていると思われる。最初に挙げた日経新聞の記事を読んでも、「羽田と成田を結ぶ鉄道」とは書いていても、「東京駅と羽田・成田の所要時間を短縮する」ということだけが書かれており、「羽田・成田の移動を便利にする」ことに関しては一切触れられていない。

しかし、こういう容易に誤解を招く記事を書けば、後は勝手に「羽田・成田の移動を便利にさせる鉄道は必要だ」と発言力のある人が騒いでくれるので、世論をミスリードさせることは可能なのである。

ハブ空港と航空会社の空港ラウンジ

『アゴラ』2014年12月11日掲載

12月9日に、香港に拠点を置くキャセイパシフィック航空が、羽田空港国際線ターミナルに、外国の航空会社としては初めてとなる自社ラウンジを開設した。

それに関連して、ハブ空港の機能についてもう一度考えてみたい。

以前、私は「ハブ空港の機能で重要なのは制限区域内の施設の充実度」と題して『アゴラ』に投稿させていただいた。その続編として今回の記事を書きたいと思う。


私のように地方都市に住んでいると、特に海外旅行の際には、地元の空港から直行便で目的地に向かうことはほぼ不可能だ。長崎空港発の国際線はソウルと上海しかない。それ以外の場所へ行くには、陸路で福岡空港まで向かうか、羽田、成田、関西、ソウル、上海などの「ハブ空港」を利用する。どこを選ぶかは、時間の都合、就航している航空会社の都合、そして「ハブ空港」の機能などが選択理由になる。

今回キャセイパシフィック航空が羽田空港に自国外では最も豪華なラウンジを設置した理由は、正直なところ私にはよく分からない。なにせ羽田空港を出発するキャセイパシフィック航空の便は1日2便しかないのだ。たかだか2便のためにこれだけのラウンジを作ったのだろうか。

ハブ空港に豪華なラウンジがあることは、利用者としてはその空港を使う選択肢の一つになる。その点でいえば、日本各地から香港に向かう人に対して羽田を経由してキャセイを使ってくださいということなのかもしれない。

国際的に見て東京がハブ空港としての立地において優位になるのは、東・東南アジアから北米へ向かう経路だ。しかし香港に拠点を置くキャセイパシフィックの立場から見ると、香港から羽田までキャセイに乗って、そこからＪＡＬなどに乗り換えて北米へ行くお客さんを増やそうとすることはないだろう。香港から直行便で北米へ向かう路線を使ってもらう方がいいに決まっている。羽田に豪華ラウンジを設置する理由にはならない。

もう一つ考えられるのは、キャセイパシフィックはＪＡＬと同じ航空アライアンスに属しているので、ＪＡＬの上級会員にキャセイパシフィックを使ってもらおうということなのかもしれない。

ＪＡＬの上級会員であれば、キャセイパシフィックを利用しない場合でもＪＡＬに乗るのであればキャセイのラウンジを使える。そうした利用者を増やして、キャセイのイメージをよくして、さらにＪＡＬから施設利用料をもらおうという考え方もあり得る。

それはさておき、私はどうせならキャセイパシフィックは関西空港に羽田空港位豪華なラウンジを作るべきだと思っている。

実はキャセイは関西空港発の香港行きが1日5～6便ある。その割にはラウンジが貧弱なのだ。そもそもなぜこんなに便数が多いのか。理由としては、日系の航空会社が東京中心に路線を展開しているため、関西発の香港行きが少ないことが挙げられる。ＬＣＣは増えているが、フルサービスキャリアを見れば、ＡＮＡは1日1便、ＪＡＬは就航なしなのである。

それだけではない。実は関西発の東南アジア方面の需要を、キャセイが香港ハブを利用することでかなり奪っているのである。

日本の航空会社が東京中心の路線展開しかしていないため、関西から直行便のない東南アジア各地に向かうには一度東京に出て東京発の直行便で目的地に向かうか、関西から香港経由で向かうかという選択が中心になる。この時に、羽田・成田と香港のハブ空港としての機能が比較されるのである。

羽田・成田の乗り継ぎが不便なのは言うまでもなく、羽田の国内線と国際線の乗り継ぎもターミナル移動があるため意外と不便である。それに比べ香港だとターミナルが一つで乗り継ぎが便利な上に、豪華なラウンジがいくつもあり、乗り継ぎ時間が比較的長くてもそんなに苦痛ではない。

私も東南アジア方面に向かう場合は、福岡空港からキャセイパシフィックを利用して香港乗り継ぎというのが第一候補に挙がる。それはやはり、香港空港の乗り継ぎの便利さとラウンジの充実度が大きい。また私はＪＡＬの上級会員であるため、キャセイパシフィックのラウンジは利用できる。シンガポールに行く場合でも、ステータスを持たないシンガポール航空の直行便で福岡から香港へ行くより香港で乗り継いだ方が途中でいい休憩にもなるので、第一候補になる。

日本が国際競争力を高めるために、羽田のハブ機能強化を挙げるのはいいが、羽田ばかりに注力していると、実は香港など他国の空港に、地方からの旅客を取られるという危険性もあるのだ。敵はソウルだけではない。それを防ぐためにも、もう少し関西にも目を向けるべきである。

私は、ハブ空港としての魅力は羽田より関空に感じる。羽田は意外と国内・国際の乗り継ぎが不便だし、九州からアジア方面へ向かうには、羽田まで行くのは遠回りになるからだ。それに乗り継ぎの時に食事をすることは多いが、そこは羽田・成田より関空の方に魅力を感じる。関空だとたこ焼きもお好み焼きも551の豚まんも食べられる。そこはやはり、東京ではなく大阪の魅力だ。

話はぐるぐる回っているが、最後に結論（?）を。もし今後関空のラウンジの充実度が上がり、関空と長崎を結ぶ路線が強化されれば、今は福岡から香港経由が第一候補なのが、関空乗り継ぎが第一候補になるだろう。国外に逃げているハブ空港の利用客を、国内に取り戻すことができるのだ。

長崎空港に経由便を活用した国際線誘致を

『長崎の経済を考える』２０１6年7月5日掲載

長崎空港を発着する定期国際線は、現在、週2便の上海線だけである。

これだけインバウンド客が増え、九州の他の空港は台湾や香港と結ぶ路線が続々と開設されているという社会情勢の中、長崎空港は、一時期多客期には毎日運行もされていたソウル線が平成27年11月に撤退し、現在は上海線のみになっているという惨状である。

長崎はアジアの人から観光地として人気がないのかというと、そうではない。

例えばある台湾人のブログを見ると、県内のかなり細かい所を回っている。日本人でも長崎県民でも、ここまでツボを押さえた行程の旅行はできない、という感じの素晴らしい内容である。

このブログで他に取り上げられている国内観光地を見てもらえば分かるが、台湾人にとって長崎は、日本全体で見ても魅力のある場所だというのは間違いない。またアジア諸国では、個人ブログが他の人の行動に与える影響は、日本と比較にならないくらい大きい。こういうブログの影響で長崎観光の需要がさらに高まっているのだ。

ではなぜ長崎空港に香港や台湾からの定期便がないのか。チャーター便なら何回も就航しているにもかかわらず。

その理由を私は知らないが、あくまで一般論でいえば、日本人の利用者が見込めず、トータルで路線を維持できる客数にならないということはあるようだ。長崎からのソウル線が廃止になったのも、それが理由の一つだった。

となると、長崎空港から国際線を利用する客を増やさないといけない。その時に、例えば香港路線であれば、香港だけでなく、香港で乗り継いで東南アジア諸国やヨーロッパに向かう人も長崎空港から香港行きに乗ってもらうことで利用者は増やせる。

私はヨーロッパに向かう際、福岡空港から香港経由で行くこともある。羽田や成田で乗り継ぐこともあるが、香港空港は魅力のある空港なので、特に日本から（ワンワールド加盟社の）直行便がない都市へ行く際には、香港経由を積極的に使っている。

香港をベースとするキャセイパシフィック航空は、ヨーロッパ路線の発着時刻を、香港発を夜0時台、香港着を朝6時台にそろえている。つまり、香港に夜11時頃着、香港朝8時発のようなスケジュールにすると、長崎からヨーロッパへの乗り継ぎがものすごく便利になるのだ。

福岡便の所要時間をあてはめたダイヤを想定すると、

香港　８時15分発　　長崎　12時40分着
長崎　19時40分発　　香港　22時10分着

こんな感じだ。

香港から長崎に来る観光客にも使いやすい時間帯だろう。

しかし、これだと長崎空港に機材を7時間も遊ばせることになる。航空会社はできるだけ機材を休むことなく使いたいので、こんな無駄なダイヤを組ませるのは難しい。

そこで、この時間にソウルまで飛んできてもらうのだ。

実際には、香港発長崎経由ソウル行きという路線にすればいい。そうすることで運休中のソウル路線の埋め合わせも同時にできる。

香港　8時40分発　長崎　13時05分着
ソウル　16時30分発　長崎　17時50分着

これでどうだろう。あと1時間遅くしてもいい。

ちなみにこの時間だと香港でその日のうちにバンコク行きに乗り継ぐことができるので、バンコクに当日中に（日付は変わるが）着けるというメリットもある。


このダイヤだとソウルでアメリカン航空のシカゴ、ダラス便に行き帰りとも乗り継ぎできる。キャセイパシフィック航空（CX）とアメリカン航空（AA）は同じワンワールドアライアンス加盟社（日本では日本航空（JL）が加盟）なので、香港ソウル便がAAとCXのコードシェア便になれば（AAとCX、JLは多くの路線でコードシェアしている）、アメリカン航空のチケットで長崎からシカゴ、ダラス、さらに乗り継ぎで北米各地へ安く便利に旅行することができる。

こうしてみると、アウトバウンドが弱いといわれる地方空港の国際線も路線とダイヤ次第で何とかできるのではないかという気になる。

ちなみに、経由便にするということでいえば、香港から台北経由長崎行き、という路線も考えられる。こうすることにより、香港台湾双方からのインバウンド客を集められるという魅力があるし、実際にキャセイパシフィック航空の香港福岡便は台北経由である。

その福岡便のダイヤを長崎にあてはめてみると、こんな感じになる。

香港　8時50分発　台北　10時45分着　11時45分発　長崎　15時20分着
長崎　16時20分発　台北　18時00分着　19時00分発　香港　21時05分着

こういう感じで、ぜひ長崎空港の国際線を拡大してもらいたい。

米東海岸路線が開設されても羽田のハブ機能は向上しない

『アゴラ』２０１６年7月6日掲載

すったもんだの末に日米航空交渉がまとまり、航空会社の枠が配分され、ＡＮＡから羽田発初の昼間枠を利用したニューヨーク線とシカゴ線のダイヤが発表された。

なぜ羽田から北米路線を飛ばしたいのかという理由は、もちろん関東在住者が成田まで行くより羽田から乗れた方が便利だから、ということである。

それと同時に、羽田は国内線が充実しているから地方の住民にも乗り継ぎが便利でメリットがある、というようなことも言われた。例えばこの記事[1]などだ。つまり、成田はハブ機能に欠けるが羽田だとハブ機能が生まれる、という言い方だ。

実際はどうなのだろうか。発表されたＡＮＡのダイヤを見てみよう。

東京―ニューヨーク（ジョン・Ｆ・ケネディ）

発着地	便名	出発時刻	到着時刻

1 https://toyokeizai.net/articles/-/106978

羽田発着	NH110	羽田10:20	ニューヨーク09:00
	NH109	ニューヨーク16:55	羽田21:10＋1
成田発着	NH10	成田16:40	ニューヨーク15:10
	NH9	ニューヨーク10:45	成田15:00＋1

東京—シカゴ（オヘア）

発着地	便名	出発時刻	到着時刻
羽田発着	NH112	羽田10:50	シカゴ07:40
	NH111	シカゴ16:15	羽田20:30＋1
成田発着	NH12	成田17:05	シカゴ13:45
	NH11	シカゴ10:45	成田15:10＋1

（ANAのHPより一部改変して引用）

羽田の発着時刻を見てもらいたい。両便とも羽田着便からの国内線乗り継ぎは不可能である。羽田発便にしても、最小乗継時間は70分なので、ニューヨーク便の場合、羽田に9時10分までに着く必要がありかなり厳しい。九州の空港は半分くらいアウト、北海道は千歳以外全空港不可能だ。

つまり、羽田発のアメリカ昼間枠便は、ほぼ関東住民の利便性向上につながるだけで、ハブ機能は持たないのである。

なぜこういうダイヤになったのだろうか。それは成田便の時間帯を見ると分かる。両便とも、成田着が15時頃、成田発が17時頃になっている。成田空港は北米と東南アジアを結ぶハブ空港として機能している。北米と東南アジア路線に絞れば、成田は仁川よりはるかに上位のハブ空港になっているのが現実だ。

成田と東南アジアを結ぶ路線も、同様に成田着を15時頃、成田発を17時頃にそろえている。このように、北米と東南アジアの各路線が成田で乗り換えやすいように、各航空会社とも工夫しているのだ。

成田からの北米路線は、成田着便は15時頃だが、発便は17時頃と11時頃の二つのピークがある。これは、西海岸であれば17時頃に成田を出て目的地に行って15時頃に戻ることができるが、所要時間のかかる南部や東海岸路線は、11時頃に出ないと15時頃に成田に戻ってこられないからだ。

日本航空の成田発ボストン路線は、開設当初は成田午前発のダイヤだった。その方が機材効率はいい。なにせ新造のボーイング787を日本航空では最初に投入した路線である。機材は有効利用したいだろう。それなのに、今はボストンで約20時間機体を寝かせてまでして成田夕方発に変更したのだ。それくらい、成田のハブ機能は重要だと判断したのだ。

日本とアメリカの航空会社はここまでして成田ハブの機能を高めているが、ソウル仁川空港を利用する航空会社はこれほどの配慮はしていない。だから北米と東南アジアを結ぶ路線に関しては、仁川より成田の方がハブ空港としてはるかに機能しているのである。

成田発11時頃というのは、関東住民が家を出て成田に向かうのにはちょうどいい時間だろう。しかし地方からだと、成田路線がある所以外だと前泊の必要が生まれる。こういう点で成田発は不便だった。

こうしてみると、ANAが成田から羽田に移管したのは、成田ハブを壊さない時間帯の路線だったということが分かる。成田朝便が羽田に移行されたのは地方民にとって便利になったともいえるが、それでもこのダイヤでは前泊しないと間に合わない地方は多く残っている。

結局のところ、この羽田移管は、地方とのハブ機能の向上には結びついていないのだ。

ＪＡＬは羽田のハブ空港化に協力しないのか？

『アゴラ』２０１６年7月15日掲載

前回の話の続き。

羽田空港を発着するアメリカ路線の昼間枠が設定され、ＡＮＡに続きＪＡＬもそのダイヤが発表された。

ＪＡＬの場合は新規路線の開設が認められないという理由で、現在は深夜早朝枠で運航されているサンフランシスコ線とホノルル線が昼間に移管されることになった。

そのダイヤだが、

サンフランシスコ線
羽田19：45分発　―　サンフランシスコ12：05着
サンフランシスコ14：55発　―　羽田19：20着

ホノルル線
羽田22：55発　―　ホノルル11：00着
ホノルル15：45発　―　羽田19：50着

地方在住者の私としては、もうちょっと何とかならなかったのかという印象を受けた。

もともと羽田空港の国際化は、成田に比べて羽田発着の国内線が多いことから、国内線と国際線の乗り継ぎに便利な、いわゆる「内際ハブ」として活用できるとも言われていた。「とも」と私が書いたのは、実際には関東住民にとって便利なだけで、国内線との乗り継ぎは考えていないのが実情だからである。ＪＡＬの植木社長もかつて「国内各都市と海外をつなぐゲートウェイとして地位が向上してきており、最大限活用したい」と語っているが、今回発表されたダイヤを見る限り、首都圏から海外への需要だけしか考えていないことが分かる。

一方の成田空港は北米と東南アジアを結ぶ「際際ハブ」として機能しており、ダイヤも北米線と東南アジア線が乗り継ぎしやすいよう配慮されていることは前回書いた通りである。

今回のＪＡＬのダイヤを見ると、羽田発は国内線から乗り継ぐことはできるが、羽田着便はぎりぎり不可能である。この時間に羽田に着いても国内線には乗り継げないから、地方路線に乗り継ぐには東京で1泊する必要がある。これ、せめてあと1時間半、できれば2時間前倒しできなかったのかと思う。

特にホノルル線である。羽田発はほとんど深夜便かといえるような出発時刻。これは地方からも乗り継ぎがしやすくていいのだが（この時間では昼間枠の意味がないのだが、強制的に深夜枠から移行させられたので仕方がない）、羽田着は国内線に乗り継げる時間になぜしなかったのだろうか。

ホノルル線の利用者は、ほぼ日本国内発着の人だ。東京で乗り継いで第三国へ行く数は少ない。となると、いよいよ羽田で国内線に乗り継げるようにして、羽田の利便性を国全体で享受できるようにすべきだと思うのだが、どうしてこのような地方民にとって嫌がらせのような時間に着くようにしたのだろうか。

ちなみに私は深夜枠のホノルル発羽田着便を利用したことがある。当然東京に泊まって翌日長崎に帰ったのだが、できればその日のうちに長崎まで帰れるダイヤにしてくれれば、どれだけ楽か。ＪＡＬも国内線との乗り継ぎが便利なことを売りにできるよう、このホノルル昼間枠を生かして宣伝すればよさそうだが、そうしなかった。

もちろん、関東在住の上客で羽田発着のホノルル便の席が埋まるのは明白なので、わざわざ地方からの貧乏乗り継ぎ客のために貴重な羽田便の座席を融通しない方がいいことは、営利企業の経営として間違いではない。

ＪＡＬはＡＮＡと違って羽田で国内線に乗り継げることで羽田昼間枠を有効に活用している、ということを国に対するゴマスリに使えばよかったのにと思う。

そうしなかった理由は、

1．国も本気で羽田を内際ハブとして活用させようと思ってないから、ゴマスリにならない。

2．ＪＡＬはいまさら国に対してゴマをする気がない。

というところだろう。

いずれにせよ、地方住民としては、国の金が相当羽田空港に注ぎ込まれているのだから、地方からも便利になるような使い方をしてほしいものだ。

長崎ソウル便の利用補助金は税金の無駄遣いだ

『長崎の経済を考える』２０１８年12月２日掲載

ちょっと古い話だが、長崎空港発着の国際線利用者に補助金が出るが、特にソウル便の利用者が少ないというニュースが出ていた。

私もソウルに用があることはないのだが、トランジットで使えるかもしれないということで一度利用したいと思っていた。

今日、この便に乗ってみたのでその感想を書く。

参考までに、そのニュース（現在リンク切れ）で重要な部分を引用しておく。

県などでつくる県空港活性化推進協議会と日本旅行業協会（ＪＡＴＡ）長崎支部などは長崎—ソウル線、長崎—上海線の旅行商品の代金を先着２００人を対象に５０００円値引きするキャンペーンを10月27日から11月末まで展開中。ただ、８日時点で長崎—ソウル線の商品に申し込んだのは４人だけ。同室は「ぜひとも利用してほしい」と呼び掛けている。

本稿は、この値引きキャンペーンが無駄なお金だと言いたいのだ。

最初にこういう補助金にはどんな効果があるのかを考えてみる。

今回のような一時的な補助金は、一度利用して利用者に良さを知ってもらい、次回以降は自費で使うことにより価値が生まれる。そう、自腹を切ってでも使おうという気持ちを持ってもらえないのなら補助金は全くの無駄になるのだ。

補助金が出て安いから利用しよう、安くないのなら使わない、というケースもありうる。

その場合は永続的に補助金を出し続けないといけないのだが、果たして補助金を出してまで路線維持をするメリットがあるのかという別の価値判断が必要になる。今回のケースは違うのでその議論はしない。

なぜソウル便の日本人利用者が少ないのか。長崎から韓国への旅行客が多くないということもあるが、この便の最大の問題点はソウル発の時間が早すぎることだ。引用した記事中にも触れられているが、ソウル発は朝7時55分。空港に2時間前に着く必要があるので、6時頃には空港に着かないといけない。エアソウルはLCCなので時間には厳しいため、ここは絶対条件になる。市内のホテルから空港まで1時間程度かかるので、ホテル発は朝5時だ。そうすると、何時に起きないといけないのか。

入国審査の時に近くにいた旅行客のご婦人と話をしてみると、やはり4時起き5時出発ということだった。

私もホテルを5時前に出たが、これは避けたい。多分タダでも一度この行程を経験すると、もう行きたくないと思うだろう。つまり、補助金の目的を全く果たせておらず、逆効果にしかならないということだ。

このソウル便が全く使えないということでもない。ソウル仁川空港はいわゆるハブ空港であるため、ソウルで乗り継いで他の国に行き来する時には使えるのではないかと思う。朝が早いといっても、早朝にソウル着の便から乗り換えるのならちょうどいい時間になることもある。

乗り継ぎで使うといっても宿泊を伴う場合はきついなというのが今回の印象だ。まさに早朝着便限定でしか使えないだろう。トランジット利用で宿泊が必要になることは多々ある。成田空港近くにホテルがたくさんあるのも、乗り継ぎ利用者が宿泊するためのものだ。余談になるが、羽田空港が国際化される前も、成田の方がソウル仁川よりはるかに多くの人に乗り継ぎ利用されていた。また長崎から海外旅行をする場合に成田で前後泊することは珍しくなかった。そういう利用者が成田ではなくソウルを使うというのはちょっと勘弁という気がする。

そうして最後にダメ押しだったのが、長崎空港での税関検査である。

私はこの数年、月1回平均くらいで日本に入国している。そして、今まで一度も税関で荷物を開けろと言われたことはなかった。

ところが今日初めて荷物を開けさせられ、金属探知器にも通させられたのだ。

出入国で時間がかかるというのは、その空港の利用をためらう大きな理由になる。例えば今回の仁川空港では、空港に着いてから出国審査が終わるまでに1時間近くかかった。これではトランジットで使う気になれない。

帰国時に入国審査でどれだけの時間がかかるかというのは、家に帰る時間が違ってくるので、できれば早く終えたい。

福岡空港で仮に審査が長引いて、長崎に戻る高速バス『九州号』が1本遅くなると、家に着くのが1時間遅くなったりする。タイミング次第で、入国審査の1分2分が命取りになることがあるのだ。飛行機の遅れで家に帰るのが遅くなるのは仕方がないとあきらめがつくが、税関でつまらないことに時間を取られて遅くなるのは非常に不愉快だ。

福岡空港の場合、日本人だとすんなり通過できることが多いので、ここでストレスを感じることはない。しかし今日は長崎空港で時間を取られて、危うくリムジンバスを1本逃すところだった。1本逃すと30分遅くなったりすることもある。幸い出発間際のバスに乗れて、実害はなかったが。

長崎空港発着の国際線を利用しようと思うためにはいろんな要素がある。値段だけではなく、出入国手続きの手間や航空会社の快適性などである。

私も一度だけシンガポールに行く際に、長崎発着上海乗り継ぎを利用したことがある。結論としては、もう使いたくないという印象を持った。

その理由は、中国東方航空のサービスレベルが低いこと、乗り継ぎの上海浦東空港が快適に過ごせないことなどである。

もちろんメリットもあって、値段が安いこと、時間帯がいいこと、長崎空港での出入国がスムーズに行くことが挙げられる。

実際には福岡空港からキャセイパシフィック航空を使って香港経由で行くことが多い。それはキャセイパシフィック・キャセイドラゴン航空のサービスレベルに満足できていることと、香港空港でのトランジット時間を快適に過ごせること、香港で乗り継ぎのために1泊することもあるが、宿泊地としての香港の魅力が高いことなどが挙げられる。

上海乗り継ぎだけでなくソウル乗り継ぎでも条件を比較してみたい。長崎ソウル線に就航しているエアソウルはアシアナ航空とコードシェアを行っており、ソウルから先はアシアナ航空を利用することになる。アシアナ航空には乗ったことがないが、多分サービスレベルには満足できると思う。しかしソウルに宿泊地としての魅力を私は感じない。

最初のテーマに戻ると、ある路線を利用するには値段以外のいくつかの要因があるので、補助金を出して値段のメリットを出したところで、他のデメリットを打ち消せなければ補助金の効果はないということになる。

そして長崎空港の税関の問題。これも長崎空港国際線利用のメリットを見事に打ち消してくれた。もちろん金の密輸が多発しており、地方空港が狙われているから厳しく検査しないといけないのは分かる。しかしそれが原因で福岡空港を使った方がいいと思われるのでは、元も子もない。税関検査が原因でその空港が避けられることがあるというのは、フランクフルト空港が実証しているので、長崎空港はそうなってほしくない。

もちろん長崎空港の審査を緩くしてほしいと言うつもりは毛頭ない。福岡空港と同程度になればいいだけである。ちなみに、長崎空港は長崎税関の、福岡空港（対馬の厳原・比田勝も）は門司税関の管轄になる。

税関の立場からすると、地方空港が密輸で狙われるのであれば、わざわざ地方に職員を配置してコストをかけるよりは、極力地方空港を使わせないようにして拠点空港に利用客を集めた方が効率的だということにはなる。

私は今までどこの税関でも荷物を開けろと言われたことがないのだから、税関職員から見て私が怪しい人間でないのは間違いないはずだ。長崎だけ厳しいというのは長崎空港を避けたいという理由になってしまったので、その辺は職務遂行にあたって税関側も考えていただきたい。

長崎空港国際線に対する有効な補助金の使い方

『長崎の経済を考える』２０１８年12月３日掲載

前回の続き。

長崎空港の国際線利用者を増やすには、その便利さを県民に知ってもらわないといけない。ソウル便の場合、ソウル発が早すぎてソウルに宿泊した人が利用するのは苦痛でしかない。補助金を出して利用してもらっても、二度と利用しないと思われる危険性が高く逆効果でしかない、という話を書いた。

批判するだけでは生産性がない。ではどうしたらいいのか、ということを本稿では述べる。

ソウル便はソウル発が早すぎて、宿泊先から空港に向かうのには厳しいが、ソウル早朝着便であれば逆に利用しやすい、ということを前回書いた。

具体的にはどういう便があるのか。アシアナ航空のHPで検索した結果を以下に示す。

行先	長崎発	ソウル着	ソウル発	現地着
シンガポール	10:15	11:45	16:20	21:55
バンコク			18:20	22:15
香港			15:55	18:55
サンフランシスコ			18:00	11:25
ロサンゼルス			14:40	8:40

行先	現地発	ソウル着	ソウル発	長崎着
シンガポール	23:10	6:35	7:55	9:15
バンコク	23:10	6:35		
香港	1:00	5:30		
サンフランシスコ	23:30	5:30		

ロサンゼルス　23：00　5：20

こうして行き先を示されたら、ソウルに向かう人以外にも乗客を集められそうな気がしないだろうか。特にロサンゼルスは結構いい時間帯になっていると思う。

帰りはみんな深夜便になる。深夜便は最終日まで現地で有効に時間を使うことができるし、帰ってきた日もそのまま仕事に行ってもいいし、ゆっくり休んでもいいが、現地での宿泊を減らせるのでホテル代を節約できるというメリットがある。

行きは確かにソウルでの乗り継ぎ時間が結構あるが、仁川空港は空港内でも時間がつぶせるし、いったん入国して短時間の無料観光ツアーに参加してもいい。そこを考えても、長崎から福岡空港まで行って現地に向かうよりは、長崎空港からソウル乗り継ぎで行く方が快適である。

こうしたプランを県内の旅行会社で大々的に売り出せば、それなりの利用者は集まるのではないだろうか。前回リンクを張った記事にあるように、ソウル便の補助金利用申請者が5人というのよりは多く集まるはずだ。

続いて補助金の使い方だが、旅行代金5０００円割引よりは、空港駐車場無料の方が効果は高いと思われる。

前回の記事にもあるように、長崎県内から福岡空港まで車で行って国際線を利用する人も多い。私も時々、福岡空港の国際線駐車場を利用する。ここは24時間1000円なので、5日で5000円かかる。まさに補助金相応の金額だ。

長崎空港駐車場の利用料割引に補助金の5000円を使えば、福岡空港の駐車場よりもっと長い日数分に充てることができる。長崎空港の駐車場であれば、県の補助金利用のためなら駐車料金の値引きも可能だろう。東南アジア方面へ行く人の駐車場利用は3～4日だろうから、北米行きの人にはもっと長く使わせてあげてもいい。上限15日とかにしても現在の旅行代金5000円引きよりは同じ補助金総額で多くの人に利用してもらえるのではないだろうか。

県の施策は、申し訳ないが実際に旅行をする人の気持ちを考えているとは思えない。できれば私のような案も検討して、長崎空港の国際線利用者をもっと増やせることを願っている。

第2章　地域政策

1　日本の国土構造

地方経済が輸出産業の工場立地に依存するのは危険

『アゴラ』２０１３年４月19日掲載

山口巖氏が「円安を利用して、地方は工場立地を推進せよ」という旨の記事を書かれている[1]。

これに対し、キヤノンの工場立地に関して一喜一憂させられた地方在住者として意見を書かせていただく。

長崎県では２０１０年にデジタルカメラの製造を行うキヤノンの工場が操業開始した。この工場が操業を開始するまでの経緯は、単純なものではない。

1 https://agora-web.jp/archives/1530812.html

まず、キヤノンが新工場を作ろうということになったのは、2000年代半ばの好業績が要因である。当然、この好業績の理由の一つに、1ドル120円前後という当時の円安があるのは間違いないだろう。

そして2008年以降、業績が急降下。その要因は、世界的な経済危機による消費の落ち込みが大きいだろうが、円高によるものも少なくない。

長崎キヤノンの設立が決まったのは2008年7月。その後のキヤノンの業績悪化に伴い、工場立地が白紙になるのではないかと地元では心配されたが、結局予定より1年遅れで無事操業を開始した。

この事例から思うのは、やはり為替に大きく左右される産業に地域経済を依存するのは危険だということである。

また、この工場立地に際して、長崎県は「円安を背景にして業績のいい輸出産業」の誘致に精力的に努めた。まさに山口氏が前述した記事で書かれたことを実践したのである。決して、「そんな難しいこと、面倒な仕事は、東、阪、名でやってください。自分たちは今まで同様寝ていますす」という姿勢だったわけではなく、現実に工場誘致に成功したのだ。

それはさておき、地方在住者にとっては、こういう為替レートで地域経済が大きく左右される状況というのはあまり好ましいものではないと感じる。

では地方はどうやって食っていけ、ということになるかといえば、第1次産業とか観光業に注力し、高齢者の福祉を充実させ、輸出産業の工場から得られるメリットはボーナス的なものと考える方がいいと思える。それにしてはボーナスの比重が大きすぎるのだが。

じゃあ地方交付税交付金に寄生し続けるのかということになると、地方の財源を消費税中心にすることでかなり回避できると考えるのだが、それに関しては別の機会に論じさせていただく。

『アゴラ』2014年5月17日掲載

東京への人口集中は進む

昔聞いたような話だなあ、というテーマの投稿が『アゴラ』に二つあったので、それについてコメントしたい。

一つは岡本裕明氏の「地方回帰」はこれから大きな潮流になる[1]で、もう一つは大谷由実氏の極点社会を考える〜東京一極集中はやめよう[2]だ。

実際に今後どうなるかを考えるには、今までどうなってきたかを振り返る必要がある。こういう話は今から20年前に盛んに言われており、じゃあこの20年でどうなったか、ということを振り返りたい。

結論から言えば、県庁所在地への人口集中は10年程前までで陰りを見せ、現在では半数ほどの県庁所在地は人口減少に転じている。そして「札仙広福」（札幌・仙台・広島・福岡）と呼ばれる地方の中心都市も、福岡以外はそろそろ危ないと言われ始めている。

ではなぜこうなっているのか。理由は池田信夫氏が「ものづくり」から都市間競争へ－

1 https://agora-web.jp/archives/1592296.html
2 https://agora-web.jp/archives/1595329.html

『年収は「住むところ」で決まる』[1]で書かれている通りなのであるが、日本の実例に沿って、補足説明をしたい。

日本の産業構造が第1・2次産業中心から第3次産業中心に変化してきた。そうなると、人口が多い都市も第3次産業を中心とした都市になるのは、当然の流れであった。


典型的な事例が、北九州市と福岡市の関係である。

かつては工業都市が人口の多い都市であった。九州の人口1位の都市も北九州市であったのだが、日本の産業構造の変化に合わせて、商業の中心地である福岡市が大きく伸びて、今は福岡市が伸び、北九州市が衰退するという動きが続いている。

全国的に見ても、企業の支店が多かった県庁所在地に、周辺の農村から人が集まってきた。農家の子息が農業を継がず、あるいは兼業先として、県庁所在地の企業に就職した。

そして交通や通信手段の発達により、企業は支店を各県から各地方へと集約してきた。地方の中心都市である札幌仙台広島福岡という都市が、それぞれの地方全域から人間を吸引してきたのである。

1 https://agora-web.jp/archives/1595329.html

それがどうなるか。いよいよ全部東京に吸引されようとしているのが現状である。
札仙広福の中では、まず仙台が脱落するといわれていた。その理由は、４都市の中で一番東京に近いので、一番東京に吸われるということだ。

私は15年ほど前に仙台の予備校で講師をしていたが、その時に、東北の私学の雄・東北学院大学の人気凋落《ちょうらく》傾向に歯止めがかからないという話を聞いた。東北大学の人気は高いが、私立に行くのなら東京に出るという生徒が多いという理由からである。このように、就労者だけでなく学生も東京に吸われる。そして大学進学時に東京に吸われた人材を地元に戻すのは困難である。

情報通信技術の発達により、住む場所にかかわらず仕事ができるという幻想が生まれたが、実際にどうなっているかといえば、特に企業の場合は、その情報通信技術を使いこなせる高度な技術者を集めるために、東京に活動の拠点を置く必要が出てきている。

典型的なのが「ジャパネットたかた」である。あれだけ長崎の佐世保にこだわってきた企業が、ついに東京にも拠点を置いた。そして、その最大の収穫はヒトの問題だと副社長[1]が語っている[2]。

ではこのまま永遠に東京一極集中が進むのか。それは分からない。地震で東京が壊滅状態になる、という可能性もあるが、本当に集中し続けることにメリットがあるのか、ということもある。

例えば集中が進めば土地代が高くなる。そこにさらにインフラ整備するコストが、分散化するより低いのか、ということだ。

今でも羽田空港の経常損益をみると、全国の空港の中で群を抜いて大赤字である[3]。それはばか高いコストをかけたD滑走路の建設に起因する減価償却費が大きすぎるからなのだが、こういう赤字を税金で帳消しにして、さらに1兆円をかけて滑走路を増設したりするのと、関西空港や中部空港に需要を分散させるようなシステムを作るのと、どちらが優位なの

1 現社長の高田旭人氏
2 https://www.nikkei.com/article/DGXNZO54384310V20C13A4LX0000/
3 https://www.mlit.go.jp/common/001010019.pdf

かという議論は成り立つ。

最初の方に、「札仙広福」の中では福岡は大丈夫だ、ということを書いた。これも、福岡はアジアに近いので、その地の利を生かして産業を伸ばす優位性があるからだと説明されている。

実際に、アジア各地と結ぶ福岡からの航空路は数多く開設され、そのためもあり、福岡空港は容量が不足している。福岡空港の容量問題は福岡のアキレス腱でもあるのだが。

「何でも東京に集中」は経済的なのか

『アゴラ』2014年5月18日掲載前回の記事「東京への人口集中は進む」の続き的な意味合いで書かせていただく。

福岡の人を勇気づける話だ。

関西の人、ゴメンナサイ。

前回、人の流れは東京一極集中だということを書いた。今回は、だからと言って、何でも東京に一極集中させた方が経済的・効率的なのかという話だ。

前回の最後に、空港に関する話を書いた。今回は、いわゆる「ハブ港湾」の話である。東京湾に「ハブ港湾」を作るのは、ほんとうに経済的で効率的なのだろうか。

神戸港が震災により壊滅的な被害を受け、それまで神戸を利用していた荷物が釜山に流れて、復興後も戻ってこずに、アジアのハブ港湾の地位を釜山に奪われたという話は、よく世間で流れている。

しかし日本には「報道しない自由」があるので、「なぜ釜山に流れた荷物が神戸に戻らないのか」について、的確な情報はほとんど流されていない。言われるとすれば、「インフラが釜山に負けているから日本の港は釜山にかなわない」というミスリードを誘うような論調である。

ではなぜ釜山に流れた荷物が神戸に戻らなかったのだろうか。それは、いざ釜山を使ってみたら釜山が便利だったから、というごく単純な理由なのである。

何が便利なのか。インフラが整備されているからというだけではない。

東アジアから北米への貨物船は、日本海から津軽海峡を抜けるルートをとる方が太平洋を回るより近いのである。近いということは、時間も早いし運賃も安くなる。釜山の港湾設備に問題がないのなら、荷主の立場からするとそりゃ神戸よりも釜山を使おう、ということになるのだ。

こうした状況に対して、インフラ整備が主目的になっている日本政府は、日本の港が釜山に負けている主要因があたかも港湾インフラの問題が大きいかのようなイメージ作りをしてきたのである。

もしアジアのハブ港湾としての地位を日本国内の港で狙うのであれば、日本海側の港しかなく、可能性があるのはほぼ福岡（博多港・北九州港）だけなのである。

「ハブ港湾」という名前をそのまま解釈すると、その港に用がない荷物を単に積み替えるだけのために使うということである。

東京港で積み下ろしをしない荷物を、ただでさえ混雑している東京湾に運ぶのはどう考えても非効率だということは誰にでも分かるだろう。そもそも太平洋側にある時点でハブ港湾としては致命的な欠陥を抱えているのに、ましてや東京湾という狭い海域に大型コンテナ船をたくさん入れようなんて狂気の沙汰である。荷主の立場からしても、何で釜山経由より時間も運賃もかかる東京港経由で荷物を送らないといけないのかとなるのが当たり前のことだ。

政府は平成22年に、「アジアのハブ港湾」を担うために集中して予算投下をする「国際コンテナ戦略港湾」の選定をした。この時に注目されたのは、京浜と阪神はほぼ当確として、福岡（北部九州港湾）がここに入るのかどうかだった。

先に書いた通り、本当に「アジアのハブ港湾」を日本国内に育てようという目的であるのなら、その場所は福岡以外に考えられない。しかし、この国際戦略港湾指定の目的は予算をたくさん落とす港湾を決めることである。さらに言えば、関東・関西に大量の予算を確保することに裏付けを与えることであったので、京浜と阪神はほぼ当確、果たして福岡を入れるかどうかというのが事前の見方であった。

結果をいえば、京浜と阪神の二つだけが選ばれ福岡は落選したのだが、こういう選定は経済性より政治力で選ばれるのだからまあ仕方のないことだろう。

そして、ただでさえ狭くて混んでいる東京湾に航路も空港も作ろうとすると、どうなるのか。

その結果が、前回の記事にも書いた、羽田空港でさえも多額の経常赤字を生ませることになる、莫大な建設費をかけたD滑走路の誕生である。羽田空港のD滑走路は、東京港の航路を確保するために何とか頑張って設計したために、レイアウトに無理が出てそれを解決するための構造にしたために建設費がかさんだのである。

東京は空港は整備するけど航路はあきらめるとかそういう選択をすればもう少しお金がかからない方法が考えられたのだろうが（しかも港湾が勝てないのは見えているという状況で）、「何でも東京」を推し進めたためにこういう状況になっている。

蛇足であるが、「何でも東京に」と前面に押し出して言うのならまだ納得できるが、「日本の発展のために」という大義名分で「何でも東京」を推し進めているのはいかがなものかと感じる。本当に日本の発展という観点から考えると、少なくとも港湾は福岡に集中投資すべきだからだ。

地方で働くことの優位性

『アゴラ』２０１５年11月３日掲載

尾藤克之氏が、地方に就職することについていくつか記事を書かれている[1]。それに対して、実際に東京から地方の企業にUターン就職した私の経験から思うことをいくつか書きたい。

尾藤氏のお話は、結局何を言いたいのかが分からなくて、個人的にはストレスがたまる。地方で働くことを推奨しているのか、そうでないのか。別にそこをクリアにする必要はないのだが、何か読んでいてモヤモヤが晴れない。

ここでは、私なりに考える「地方で働いた方がいい人」「東京で働くべき人」について書きたい。多分、尾藤氏もそこを踏まえて、「でも地方で働いてほしいんだよね」って感じなんだと推測しているのだが。

まず、「地方から東京で一旗上げたい」と思う人を地方に踏みとどまらせるべきなのか。

1 https://agora-web.jp/archives/1659554.html

尾藤氏の「東京で成功するためには」という話を読むと、「東京に出る前にちょっと考え直した方がいいんじゃない？」という雰囲気を感じる。

私は、出たいなら出た方がいいと思う。特に若いうちは、それくらいの勢いがあった方がいいし、いろんな経験を踏んだ方が人間的にも成長する。出生地と東京という観点だけでなく、自分が生まれ育った場所以外で生活することにより得られることは多い。だから、後先を考えずに、取りあえず東京に出ることは推奨したい。

問題は、実際に東京に出た後でやっぱり地元に戻りたいと思った時に、地元に戻れる環境があるかどうかである。現実にはいろんな意味でそこが難しいことが多い。それを地方の側が改善する努力は必要だ。

次に、「地方はどの会社もゆったりしていて働きやすいに違いない」のか。実際にUターンを経験した私から言わせると、「全くそういうことはない」のだ。

これは企業により地方により差があることは間違いない。長崎県の場合は、数年前に1人あたり県民所得は最下位なのに、平均労働時間は日本一長いということで問題になったことがあるほど労働環境は悪い。今でも土曜日が休みでない企業は普通に存在する。これが現実だ。

実際に、私が東京の企業に就職していた時に長崎県へのUターン経験者と話をすると、遠回しに「やめた方がいい」と言われたし、実際にUターン就職した企業でも、Uターン経験者の先輩たちに「あんまりいいことはないよ」という感じのことを言われた。

先に「地元に戻れる環境があるか」と書いた話に関連するが、まず労働環境の悪さでUターンを思いとどまり、実際にUターンしても思った以上の労働環境の悪さが嫌になってまた東京に戻る、という人も何人も目にしている。こんなことを書いていると、「長崎県にU／Iターンをするのはやめた方がいい」と言っているようだが、実際そう思っているので仕方がない（苦笑）。

じゃあ長崎で働く価値がないのか、というとそうでもないので私も長崎に住み続けている。

長崎固有の話をしてもしょうがないので、後は一般論にする。

では地方で働く意味はないのか。人によるとしか言えないが、意味のある人も多いはずだ。地方は給料は安いが生活費が安くすむので、実際は収入以上に豊かな暮らしができるという側面は間違いなくある。ではどういう人が地方に住んだ方がいいのか。

それは、たまたま東京生まれなだけで、東京で生活する必然性が他にない人である。東京に住んでいるけど銀座とか渋谷とかにはほとんど行くことがない人は多い。週末にイオンモールに行ければ生活には困らない、という東京在住者は結構多いのだ。こういう人は、地方で生活するきっかけがないから東京に住み続けているだけなのである。

ある意味、「地方企業の待遇の悪さが嫌になり東京に戻る人」は、もともと東京に住むべき人であり、そこは気にならないけどきっかけがないから東京に住み続けている人は、地方に移った方が豊かな暮らしができるのだ。

東京に住みたい人にとっても、東京に住む必然性がない人が地方に移住してくれれば、東京の過密が解消されて住みやすくなる。東京から地方へ移住しやすい環境ができることは、悪いことではないのだ。

「札仙広福」に対する学会における評価

『アゴラ』２０１９年３月３日掲載

椋木太一さんが「札仙広福」について記事を書かれている[1]が、この都市群に対する経済地理学会における評価を紹介する。昨年の同学会大会のシンポジウムテーマが『「ポスト支店経済期」における地方中枢都市の中心性の変化』であり、その時の議論の内容も踏まえて本稿を書く。

ちなみに、Ｗｉｋｉｐｅｄｉａでの札仙広福の項目はよくまとめられているので、興味のある方は参照していただきたい。また私が以前『アゴラ』に投稿した記事（東京への人口集中は進む「本書74ページ」）でも「札仙広福」に触れている。もう5年前の記事なので、今より認識が甘いと自分でも思うものではあるが。

「札仙広福」という概念は、日本の主要産業が工業から商業中心に移る１９７０年代後半から使われ出したものである。それまで大都市といえば工業が盛んな都市だったものが、支店が多く集まる都市に変化してきたことで、この言葉が使われ始めた。

1 https://agora-web.jp/archives/2037508.html

しかし、この４都市が並列だったことはない。最初から福岡が頭一つ抜けた状態だった。東京に本社を置く企業が、大阪、名古屋の次にどこに支店を置くかと考えた場合、福岡になるからである。それは福岡市自体に魅力があるからではなく、九州の人口が他地方に比べて多いからという単純な理由からだ。東北・北海道は人口が少ない上に東京の本社機能が強大なため、まとめて東京で管轄しようということになる。

大手新聞社の「本社」を見れば分かりやすい。東京、大阪、名古屋、福岡が「本社」で札幌は「支社」になる。東京スポーツ系列も東京スポーツ、大阪スポーツ、中京スポーツ、九州スポーツという４紙体制で、広島では「九州スポーツ」が売られている。

もちろん九州に支店を置く場合、それが門司・小倉なのか福岡なのか熊本なのかという選択肢はある。例えば大手新聞社の「西部本社」がどこにあるのかを見るのも面白い。その中で結果として福岡を選ぶ企業が多くなったのだが、その理由は福岡市が努力したというよりは、単に立地条件で九州全域をカバーするのには福岡市が便利だったから、ということだと私は考える。

ではなぜ現在この４都市の中では福岡一人勝ち状態になったのか、ということを分析する。

もともと仙台と広島の拠点性は弱かった。東北は東京との近接性から東京に吸われるし、中四国も広島への依存度が低い。岡山は関西を向いているし、四国も松山が何とか広島を向いてないこともないという程度で全体としては関西を向いている。山口も西側は完全に九州寄りで、東側も岩国は広島寄りだが周南あたりになると怪しくなってくる。

札幌はどうなのかといえば、人材の供給源となる北海道全体の人口が減っていて、将来性という意味では厳しいと言わざるを得ない。4都市の中では人口だけ見るとずっと1位だったが、後背地の人口まで含めると下位になってしまうところが札幌の弱さである。

福岡の場合、人材の供給源となる九州の人口はまだまだ多い。ここが効いている間に東京に依存しない経済構造を構築できれば、自立することは可能だと考える。

世間では、福岡が素晴らしいという多少過剰にも見える話が多いが、もともとの地理的条件が考慮されないと間違った分析になる。

「住みやすい」とか「移住者が多い」などの意見も多いが、札幌のＩＴ企業が元気だった時には、札幌でも同じことが言われていて、特に福岡だけの特徴ではないのだ。福岡が特に優位なのは、空港が市街地に近いことくらいである。

２ 地方財政

財政移転は絶対に必要である

『アゴラ』２０１２年２月14日掲載

豊かな自治体から貧乏な自治体への財政移転は、なぜ必要なのか。今回はそのことについて考察する。

地方自治体が行うサービスの目的は、基本的にそこに住む人々が不自由のない生活を送るためである。だから、豊かな自治体と貧乏な自治体に住む人の間で受けられる住民サービスに差があるのは不公平であろう。

では、豊かな自治体というのはどういう自治体であろうか。

全体的に見ると、地方税の内訳は、市町村であれば固定資産税の割合が最も高く、次いで個人が納める住民税になる。都道府県は個人の住民税と法人が納める税金がほぼ同等で、次いで地方消費税になる。

ということは、豊かな市町村というのは地価が高い所で、次いで金持ちが多く住んでいる所、都道府県では金持ちがたくさん住んでいる所と、もうかっている企業がたくさんある所、ということになる。

地方税がこの構造である限りは、地価が高かったり金持ちが多く住んでいる所に住んでいれば、質の高い住民サービスを受けられるということになる。それはあんまりではないかと私は思う。

長崎市の郊外に香焼町という所がある（現在は長崎市と合併）。ここには三菱重工の造船所があり、財源が豊かであったため、高レベルの住民サービスが受けられた。一例としては、通学定期代を全額町が負担していた。

私の高校の友人に、実家が香焼町の酒屋だった人がいる。彼は長崎市内の高校に通っていて（そもそも香焼町内に高校はない）、高校3年間定期代がタダであった。しかし、もし彼の実家が車で2〜3分離れた長崎市内にあれば、全額自己負担だったのである。これは公平なのだろうか。

多少話は横道にそれるが、「自治体が赤字なんだから、給料を下げて当然だ。企業だって赤字なら給料を下げるんだから、自治体もそうすべきだ」という意見をよく聞く。しかし、それは違うと思う。というのも、この理屈だと自治体がもうかっていれば、そこで働く公務員の給料はどんどん高くしていいということになるからだ。

豊かな自治体というのは、自治体職員の努力以外による要因が大きい。例えば原発が立地しているからということなどがある。

佐賀県は市町村合併が進んで、小規模な自治体は少なくなった。しかし、原発が立地する玄海町は合併せずに残っている。何のことはない、原発による財源を他の地域に使われたくないから合併しなかったのである。

となると、もし玄海町の原発が廃炉になって、玄海町に原発関連の補助金が来なくなって玄海町が財政難になっても、合併してくれる周囲の自治体はないだろう。

公務員の給料の話に戻すと、公務員の給料はあくまでその地域の民間準拠にすべきなのだ。大阪市の公務員厚遇問題が話題になっているが、それも財政が豊かだった時代にどんどん福利厚生を充実させた結果である。金に余裕があるからといって、公務員の待遇を過剰によくしていいはずがない。つまり、財政が豊かでも貧しくても民間に準拠させるという考え方が重要なのだ。

それはさておき、今の地方税の構造だと、景気の動向に税収が左右されるという問題もある。地方自治体が行うサービスは景気に左右されるべきものではない。それよりも、住民の数に比例するべきものだろう。人口に応じて安定した税収が上がることを目指すべきで、景気の善しあしによって変化すべきものではない。

そして、自治体間の格差を是正する目的で、国からの財源移転が行われている。財源移転を国が行うために、そこに恣《し》意《い》性が生まれる余地が出るので問題がある。また「自分が納めた税金が他で使われるのはけしからん」と言う人が多数出てくる。

これを防ぐためには、最初から人口に比例し、景気に左右される度合いが低いような財源を地方に与えればいいのだ。そこで消費税を地方税にするという考え方が生まれる。消費税は今の地方税に比べるとはるかに人口に比例し、かつ安定するという性質を持っている。

このことは、私が大学院に在籍していた時に現在は名誉教授になられている神野直彦氏のグループが提言していた。最近この話を聞かなくなったということは、いろんな点で障害があるのだろう。

今のシステムでは、高度な住民サービスを受けるには、裕福な自治体に住めということになる。私は東京にいたころ、港区に住んでいた。東京都港区は、全国でも有数の裕福な自治体である。だから港区に住むといいことがあるのだが、「港区に住んでます」と言うと、周囲の反応は全て「私は住めない」というものだった。

やはり今の状況はおかしいと思う。

「地方消滅」なのか「地方自治体消滅」なのか

『アゴラ』２０１５年11月13日掲載

渡瀬裕哉氏の記事[1]を読んで、どうもかみ合ってないなと感じたので、寄稿させていただく。

いわゆる「地方消滅」の話は、本当に「地方」が消滅するのか、単に「地方自治体」が消

1 https://agora-web.jp/archives/1660715.html

減するってだけの話なのか、きちんと分けて考える必要がある。

中央から地方に多額の財政移転が行われているのは事実である。しかし、ここでいう「中央」とは「中央政府」の話であって、「東京の住民」という意味ではない。税金が国税なのか地方税なのか、ということである。

例えばイケダハヤト氏も多額の所得税（国税）を納めているはずだ。その税金は高知県の住民が払ったにも関わらず、関東近郊の道路工事に使われていることもあるのだ。「自分が払った税金が自分のために使われていない」という言い方は、あまり意味のある理屈ではない。

国が集めた税金の一部が地方交付税交付金という形で地方に配分される。このことに対して、「自分が払った税金が地方で使われるのはけしからん」と言ったところで、東京都以外の住民は地方交付税交付金を受け取っているのだから大きな意味はない。自分たちにも一部は還元されているのだ。逆に、都道府県では不交付団体が東京都だけしかないというのは、そもそも根本的な税制が間違っていると言えないのか。

財務省のホームページによると、国家予算で歳入のうち消費税が１７兆１１２０億円、それに対して歳出のうちの地方交付税交付金等が１５兆５３５７億円だ。いっそのこと、消費税は全部地方税にして、地方交付税制度は廃止、社会保障費も地方負担の割合を増やして、消費税が上がった分は地方で社会保障費として使ってもらうというような制度に改めるくらいのことはやってもいいいと思う。

そして、今地方交付税交付金を受け取っていない東京都には莫大な消費税が入ってくるのだから、その分は東京都がどこに配分するかを決めれば、納税者の不満も減るだろう。

そもそもどういう自治体が裕福になるのか。地方税の内訳を見てみる。今度は総務省のホームページから。

市町村の税収を見ると、半分近くは固定資産税である。ということは、地価が高い自治体ほど裕福で、地価が安い農村部ほど貧乏になる。また市町村民税も住民の所得に比例するので、高所得者が少ない地方ほど貧乏になる。

「大都市部の住民が払った税金が地方に流れる」という不満も分かるが、そもそも税制自体が大都市部に有利になっているのだ。先に消費税を自治体間で融通する制度にすればというこことを書いたが、固定資産税についても同様ではないだろうか。また、土地というのは国土を構成する重要な要素なのだから、固定資産税こそ国税化する、という考え方でもいいだろう。

では、地方自治体が消滅したらどうなるのか。その自治体が存在していた土地から自治体が消えて、管理者不在の土地になるのだろうか。

現実にそんなことはなく、隣接する市町村に吸収されることになるだろう。

吸収する側の自治体は、それでうれしいのか。

「平成の大合併」で合併できなかった自治体には、財政状況が悪く近隣自治体に合併してもらえなかった所が多々ある。夕張市のように無駄なハコモノを作って、財政状況が悪くなったケースなどだ。そういう自治体が立ち行かなくなったからといって合併を迫られる近隣自治体の住民は、合併に納得できるだろうか。

決してそんなことはない。隣の自治体の無駄遣いの穴埋めに、何で自分たちの税金を使われなければならないのかと思うのが自然である。

結局この構造は、東京の住民が自分たちの税金が地方で使われるのがけしからん、と言うのと何ら変わらないのだ。隣に接しているからこそ、隣町の無駄遣いに対する反発はむしろ強くなる。

じゃあ住民全員が東京に引っ越すから、その自治体は東京都の飛び地にして人は住まないから東京都に土地の管理だけやってくれという方法だってあるだろう。多少話は違うが、新潟県の刈羽村は原発関連の歳入がないと村が立ち行かなくなるから、じゃあ村をつぶして東京都に編入して原発を再稼働させる、なんてことだって考え方としては成り立つ。

中央と地方で悪口を言い合うのでなく、もう少し双方がいい方向に向けるような議論をした方が生産的ではないだろうか、とこの手の話を見ていていつも思う。

都市部から地方部への財政移転は不要である

『アゴラ』２０１５年11月14日掲載

拙稿に対する渡瀬裕哉さんの反論[1]を読ませていただきました。

まだかみ合っていないというか、かみ合わせられる文章を書かなかった私が悪いのですが。


という訳で、理解しやすいタイトルにしてみました。


実際の数字から話をさせていただきます。

東京都武蔵野市の平成27年度予算に書かれている市税は、３８５億円程度。それに対し鳥取県米子市は１８４億円程度。

人口はほぼ同じ。２０１０年国勢調査で武蔵野市は１３・9万人、米子市は１４・8万人なので、米子市の方が多いのです。でも市税は武蔵野市が倍以上。

1 https://agora-web.jp/archives/1660821.html

こうなるのは、前回書いたように市税は住民税と固定資産税が中心になっていて、お金持ちが多くて土地が高い自治体ほど、市税がたくさん徴収できるような制度になっているからです。

ではこの差をどうして埋めるのでしょうか。渡瀬さんは税率を上げればいいけど、当然、貧乏な自治体で税率を上げても、そんな所には住みたくないとおっしゃっています。そして、税収を上げるアイデアはないそうです。

これこそ、「ふるさと納税制度」みたいなものを提示してあげれば、頑張る自治体は頑張って税収を上げられます。無条件に都市部から地方に財政移転をされるより、優秀な都会人の方々がアイデアを出してあげて、財政移転を減らした方がいいのではないでしょうか。

ちょっと話はそれましたが、地方の自治体は大都市部に比べて税収力が弱い。ではどうするのか。渡瀬さんは税移転がなければ「明るい電気を物理的にともすことすら既に困難」とおっしゃるので、田舎では電気を使うなと言いたいのでしょう。電気の場合は民間の電力会社が供給してますから自治体の財政力に関係ありませんが、水道は市町村が供給していす。貧乏な自治体住民は、同じ国民でありながら満足な水道すら提供されなくても我慢しろというのでしょうか。

私が言いたいのはこの部分で、同じ国民でありながら金持ちが多く住む自治体住民は社会インフラが十分に提供されて、貧乏人が多い自治体は水道整備すらままならない状況で我慢しろというのはおかしいと思うのです。

こうした自治体の財政力の差を埋めるために地方交付税制度があります。ところが、これは国税から地方に配分されるものです。だからここで国の裁量が強く働き、おかしな配分になる。だったら地方税は地方税で、例えば裕福な東京都が貧乏な自治体に自らの意思で配分する方がいいのではないかということを前回書きました。

消費税は所得税や住民税、固定資産税に比べると、はるかに税収が人口に比例します。上に書いたように、地方税は人口に比例するような性質を持つ税をあてる方が理にかなっているので、前回消費税を全額地方税に回せばいいと書いたのです。

私が言いたいのは、金持ちから貧乏人に税金を移す必要はあるけど、都市部から地方部に移す必要はないということです。

現状、金持ちは大都市部に集中していますから、結果として「金持ちから貧乏人に税金を移す」ことが「都市部から地方部に税金を移す」ことになってるのです。

もっとも、その資産格差以上に財政移転が起こっているのが現状でしょうから、きちんと人口と税収の割合を明らかにして、過剰な財政移転をするべきではないと考えています。

財政移転が不要になる地方税制に変えよう

『アゴラ』２０１５年11月18日掲載

タイトルをどうするかいつも悩みます。極力冷静に本文を読んでもらえるタイトルを考えているつもりなのですが、難しいですね。

今回は自分なりの論点整理です。誰かの投稿に対する反論というつもりはありません。

『「地方消滅」なのか「地方自治体消滅」なのか』の記事で書きましたが、現在の市町村の税収は、固定資産税や市町村民税が中心になっています。今の制度では、富裕層が多い市町村とそうでない自治体での税収能力に大きな差ができます。

市町村の役割の第一は、道路や水道など住民の基本的な生活サービスを提供することです。だから、人口に比例する税制が理想的なのですが、実際はそうではないので、地方交付税制度を使って、裕福な地域から貧乏な自治体への財政移転を行っているのです。

ここに不満が出るのは仕方がないことです。東京23区内でも港区の住民が、「港区民が払った税金を足立区で使うのはけしからん、足立区に住民サービスは不要だ、充実した住民サービスを受けたいのなら足立区じゃなくて港区に住め」という意見の人は多いでしょう。私も東京で最後に住んでいたのは港区なので、気持ちはよく分かります。ちなみにその前は墨田区に住んでいました。

そういう意見を減らすためには、最初から人口に比例する性質の税を地方税にあてればいいのです。

私は『都市部から地方部への財政移転は不要である』の記事に書いたように、地方税の中心は消費税にして、財政移転は一切ナシにすればいいという考えです。

都道府県別の1人あたり地方消費税の税収については、ここ（リンク切れ）を参照ください。リンク先は都道府県間の格差をどう是正すべきかという技術的な話ですが、本稿ではその内容には触れません。単純に現状で都道府県間にどれだけの格差があるかにだけ注目します。

リンク先の図1を見てください。一番税収の多い東京都と少ない沖縄県の間でも、格差は2倍以下です。『1票の格差』じゃないですが、2倍以下ならそう文句も出ないのではないでしょうか。

この図を見て分かるのは、一番得をしているのが東京都、割を食っているのが神奈川県だということです。神奈川県の住民が大量に東京都内で買い物をしているためで、神奈川県に限らず、東京都の周辺県はみんな割を食ってます。そこは関東の中で調整してください。九州の人間も東京で消費しているから東京都の消費税収を九州に少しは回せとは言いません。

そして、関東で調整して東京都の1人あたり地方消費税収が下がれば、最高の東京都と最低の沖縄県との差が1・5倍位には縮まりそうです。あとは都道府県ごとに配分された地方消費税を都道府県の責任で市町村に配分するようにして、地方交付税制度は廃止し、財政移転をなくせばいいのです。税収差2倍3倍は当たり前の現行地方税制と比べれば、私は「公平」だと思いますがいかがでしょう。

小規模自治体になると、役所の管理コストが占める比重が高くなってしまいます。人口数千人数百人の自治体に、わざわざ首長を置いて議会を置いて職員を配置してうんぬん、の必要性があるのかということです。この部分に予算を割かれると住民サービスが低下します。

地方税を消費税中心にして、財政移転なしという地方財政制度にすれば、ここをどうするかは完全に地方に任せていいということになってすっきりします。住民サービスに回せる予算が足りないとなれば、隣接市町村との合併を選ぶしか選択肢はありません。

また限界集落の隅々まで公共インフラを整備できるかということも住民が決めるべきです。行政は、「小規模な集落まで水道管は引けませんよ。道路の整備も厳しいです。それが困るなら自分たちで何とかするか中心部に移住してください」とハッキリ言えばいいのです。昔は集落の人が自分たちで井戸を掘ったり山水を引いたりしていました。こういう限界集落に住めるのは、イケダハヤト氏のような財力がある人だけという地域社会を目指せば問題ありません。

この手の議論では、国立社会保障・人口問題研究所の将来人口推計がよく使われますが、この人口推計は、あくまで現時点での人口動態をもとに将来予測をしているということに注意しなければなりません。将来、現在と違う人の動きがあれば、予測とは大きく違う結果になります。

例えば65歳以上のリタイア組による大都市から地方部への人口移動が加速すれば、地方部は今ほどの人口減少は進まないということになります。高齢化は進みますが。もちろん、イケダハヤト氏のような若い人の動きが大きくなれば、劇的に結果は変わります。
だから、過去にとらわれることなく、現在どう動いているのか、常に新しい動きに着目することが重要です。

これに関しても、私見をいえば、以前『東京への人口集中は進む』の記事に書いたように、ある程度の人口集中が維持できるのは東京・大阪・名古屋の三大都市圏と福岡までじゃないかなと思ってます。

現在、長崎市でも中心部への『都心回帰』の動きが強まっていて、長崎市中心部には「ここは香港か」と思うくらい、狭い平地に高層マンションがどんどん建っています。これは十数年前には予測できなかった動きで、周辺自治体の将来人口推計に大きな影響を与えています。
長与町という長崎市に隣接する自治体があります。ここは長崎市のベッドタウンで税収も豊かだったために、長崎市との合併を拒否しました。「合併しなかった」ではなく、あえて「合併を拒否した」と書きます。

ところが長崎市中心部への回帰現象が強まるとどうなるでしょう。

先に書いた通り、将来人口推計は「現時点での」人口動態をもとに計算されます。子育て世代の人口流入をもとに推計された将来予測値と人口流出をもとにした将来予測値では、大きな差が出るのは明白です。今になって長与町は慌て出しているようです。

もちろん将来のことは分かりませんが、今後も中心部への人口集中が進むのならば、これを加速させることに税金を使って早く長与町の息の根を止めてあげた方が、長与町に悪あがきをして無駄な税金を使わせるよりいいことでしょう。

水谷さんは富山市の事例を出して、「上からのコンパクトシティー」はよくないと主張されています[1]。富山市の場合は国に押し付けられているというより、市長が国を動かして（特にＬＲＴ整備は、富山市長が国を動かして新たな法律を作ったと市長自身が言っている）コンパクトシティー化を進めているように見えます。富山市の詳しい事情は知らないので的確な評価はできないですが、ある意味首長がトップダウンで政策を進めている点で「上から

1 https://agora-web.jp/archives/1661252.html

のコンパクトシティー」であることには違いないと思います。

結局何を言いたいかといえば、地方住民の立場から、「とにかく財源を手当てして中央から口を出さないでください。自立して生きていきます」ということです。長崎市程度であれば、先に書いたように消費税を地方税化してもらえば、財政移転をなくしても、何とか生きていくことは可能だと思っています。

私も東京の生活が嫌で地方に戻ってきた人間です。だからこそなのか、東京から余計な口出しをされたくないのです。「東京の税金で生活させてやってるんだ」的な言い方が一番嫌ですから、財政移転をなくしてもらいたいのです。公平な地方税制さえ作ってもらえれば、財政移転なしで生活していきますから。

3 インバウンド観光

観光客が夜に楽しめる仕掛けを

『長崎の経済を考える』2011年7月31日掲載

近年、長崎市を訪れる観光客の中で日帰り客が占める割合が高く、そういう人たちにいかにして宿泊してもらうかが課題になっている。

日帰りと宿泊では、地元に対する経済効果は大きく違うので、できれば宿泊していただきたいと考えるのは当然のことだ。

そこで、夜景観光に力を入れ始めている。夜景を目的として宿泊する人の割合が高まる効果も期待してのことだろう。

これ自体はとてもいいことだと思う。しかし、夜景を見てからでもその日のうちに福岡くらいまでは行ける。確実に宿泊してもらうために、もう一押しできないだろうか。

長崎市では、商店街も中華街も夜8時には閉まって、観光客が夜出歩く楽しみがないと言われる。

このことに関しては、それぞれの商店の経営に関わることなので一律に対応を迫るというのも難しいことだ。取りあえずは各商店ができるだけ夜遅くまで店を開いてもらうのを期待するしかない。

しかし、当然夜に開いている店もある。出島ワーフや一口餃子のお店、ラーメン屋などが挙げられる。

私も多くの観光客を連れて、夜に出島ワーフや一口餃子屋さんに行ったことがある。とても好評であった。こういう場所に、市内のホテルから誘導することを考えてみてはどうだろうか。

現在、市内ホテルから稲佐山ロープウエー乗り場まで無料送迎バスを走らせている。これをもう一工夫して、出島ワーフや思案橋へも運行してはどうだろうか。

この夜の循環バスは無料でもいいが、取りあえず１００円なり１２０円なりの運賃で走らせて、観光客以外も自由に乗れるようにして試してみるのがいいだろう。

都心部循環バス「らんらん」は既存交通機関との競争で客が増えずに撤退したが、路面電車の終電後にも走る夜の巡回バスなら需要も発掘できるだろうし、観光客に新たな夜の楽しみを提供できるのではないかと思う。

日本へリピート観光する外国人は確実に増えている

『アゴラ』２０１４年６月17日掲載

今回は見事に『アゴラ』のタイトルに釣られてしまった。岡本裕明氏の『外国人が日本へ「リピート観光」しない理由』という記事[1]である。

そもそも日本へのリピーターは確実に増えているし、この記事で書かれていることは、リピーターが増えない理由として挙げるにしてもささいなことだ。何というつまらない記事かと思い、氏の元ブログを見ると、タイトルが『訪日外国人の利便性向上に成田・羽田直結が決め手だろうか？』になっていた。それなら納得。

それはさておき、そもそも岡本氏と私とでは、外国人旅行者のイメージが全く異なっていることが意見が違ってくる原因になっている。九州在住の私の視点だと日本を訪れる外国人旅行者といえば台湾・香港からのリピーターであり（韓国は一時期減っていたが、最近戻ってきた印象を受ける）、カナダ在住の岡本氏のイメージだと欧米人旅行者なのであ

1 https://agora-web.jp/archives/1600190.html

ろう。

岡本氏がフランスの例を挙げているので、フランスと比較してみる。フランスを訪れる外国人で、数として多いのは近隣諸国からである。当然のことだが。となると、日本もフランスに負けない外国人を呼び込もうとすると、数を稼ぐなら近隣諸国を中心に考えるというのが自然な発想である。

では、なぜフランスを訪れる外国人が多いのか。主要な理由は、

・近隣諸国との距離が近い
・近隣諸国の経済力がフランスと変わらない
・近隣諸国からビザなしで訪問できる
・近隣諸国には長い休暇を取ってバカンスに出掛ける習慣がある

というものだ。

これを日本にあてはめて考えるとどうなるか。

韓国や中国は近い。台湾も近い。そこから先はちょっと遠い。近いといっても陸続きの国がいくつもあるフランスよりは遠い。取りあえず、フランスに比べて地の利が悪いことは否

定できない。

経済力でいえば、イタリアやスペインはフランスより経済力が劣るといわれても、日本とフィリピンやベトナムとの差を考えればはるかに小さい。しかし、中国であれば人口が多いので、富裕層だけに絞ってもかなりの潜在力はあると考えていいだろう。やり方によっては、この点は克服できる。

ビザについても、経済力がそろわないとビザなしにするのは難しい。しかし、タイやマレーシアもビザ免除にして訪日客が一気に増えているので、この方向ではもう少し広げられる可能性はある。

最後のバカンスについては、かなり長い目で見ないといけないだろう。

と大ざっぱに考えてみた。岡本氏は『当面はビザの緩和などで東南アジアの人々で初期のにぎわいは保てると思います』と書かれているが、大きな目で見ると、この方向性というのは、初期のにぎわいというだけでなく、長期的なにぎわいという点でも重要なのだ。繰り返すが、フランスだって訪問外国人の数で多いのは近隣諸国なのである。

続いてささいな話をいくつか書かれているが、これは日本へのリピート観光を妨げる大きな問題なのだろうか。

外国人向けのＪＲ乗り放題切符であるジャパンレールパスの発行に手間がかかるという例。これが原因で日本に再び来たくなくなるのか。

お手本にするフランスでユーレイルパスを利用する時に、スムーズにバリデート（有効化）できるだろうか。パリのドゴール空港で無事に荷物が出てくるかどうかひやひやして、そして入国できてＴＧＶの駅に行ってバリデートして、というのは特に初めてフランスに行く人は簡単にできないと思う。初めてだったら、日本でバリデートした方がいいと言われるのではないだろうか。

もちろん、日本のジャパンレールパスも海外で有効化できるようにする、など見習える点はある。しかし、パスの入手に手間取ることが日本への旅行の大きな妨げになるとは、フランスと比較しても思えない。

次に品川駅に段差があるという話をしている。こんなささいな話が訪日客を増やすという大きな目的を語る上で重要なのだろうか。「関空から南海に乗って、新今宮で大阪環状線に乗り換えようとしたら階段があって不便だったから、海外からのリピーターが増えない」なんて話をしたら、「この人は何を言っているの？」と思われるだろう。

他のサイトでコメントにあったが、品川駅の階段は、日本人が京急に乗らずに東京モノレールを選ぶ大きな要因になっている（私もその一人）のであって、外国人がどうこうという以前の問題なのだ。

こういう細かい話をするなら、例えばローマでフィウミチーノ空港に着いて、レオナルドエクスプレスでテルミニ駅まで行ったら、「さすがイタリア。観光国。外国人への気遣いが素晴らしい」と思うだろうか。少なくとも私は、「やっぱり日本は細かい所への気遣いができるよなあ。大荷物を抱えた観光客をこんな列車に乗せるかよ。ここはイタリアだから仕方ないよね」と思った。

そもそも、パリで空港から市内に移動するのに、鉄道は治安の悪い場所を通るから避けた方がいいと言われている状況である。日本だと京成や京急が治安の悪い場所を通るから避けろという話にならないのだから、どれだけ日本の状況のほうがパリよりいいのかと私には思える。

あとは、外国人が不安になる、なんてことも書かれているが、これも西洋人の視点でないだろうか。

例えば旅慣れない日本人がフランスに行って、不安になるのは自然なことだろう。それを打ち消すだけの応対をフランス人はしているのだろうか。私はそうは思わない。ドイツ人は好感が持てるが、フランス人はむしろ印象が悪い。ついでに言えばアメリカ人は相手がアメリカ人に合わせて当然という態度に感じる。印象だからどうしようもないが、特に日本人がフランス人と比べて、外国人に対する対応が悪いとは思わない。

もちろん、だから日本が何も努力する必要がないとは言わない。大事なのは目的を果たすために何を最優先にやるべきかということである。「訪日観光客を増やす」という目的のためには、アジア諸国からの観光客をいかにリピーターにするかが重要であって、欧米人をどう増やすかというのは別の次元である。日本に住んでいてフランスの大ファンで年に一度必ず遊びに行くという人はどれほどいるだろうか。そういう話を例として挙げるのは適切ではないということを言いたかったので、この記事を書いた。

クルーズ船寄港地としての長崎の魅力

『長崎の経済を考える』２０１４年８月２１日掲載

久しぶりに昔の記事を見返してみると、こんなことを書いていた。

「中国からの買い物クルーズ客は、あっという間に福岡と鹿児島に取られてしまった。」

じゃ、長崎にクルーズ船は来なくなったの?ということで、自分の発言に責任を持つ意味も含めて、今の状況をまとめておく。

２００８年から２０１３年のクルーズ船寄港状況は、ここ[1]を参照。

いや、確かに２０１０年は、外国船の寄港数で、長崎は鹿児島に逆転されている。それをもとに書いたのが、最初に挙げた記事である。

1 https://www.mlit.go.jp/common/001037808.pdf

それで、その後どうなったか。

鹿児島の寄港数が増えたのは、近くにイオンの巨大なショッピングセンターができて、そこにバスで中国人買い物客を運ぶ、というやり方が当たったからである。

しかしその後、鹿児島への寄港数は激減した。まあそりゃ、買い物目的なら福岡には勝てない。買い物以外の魅力を鹿児島が提示できなかったのが敗因である。

そして長崎は盛り返す。これは、買い物以外の寄港地としての魅力が高かったからに他ならない。

確かに中国人向けクルーズ船の第一の目的は買い物かもしれない。しかし、買い物プラス1という観点でコースを組んだら、博多港と長崎港に行き着いたというのが現実である。天津から博多と長崎を回って天津に戻るというツアーが2014年に急増している（もっとも、こういう一気に増えたものは一気になくなる可能性もあるのだが）。

また、沖縄や石垣が上位にあるのは、台湾からのクルーズ船が多いからである。距離が違うので、これは別種のものと考えた方がいい。

欧米人が中心のクルーズ船になると、日本の寄港地は横浜・神戸・長崎が評価が高い。長崎の相手として見ると、神戸はもう相手になっていない感じである。また横浜の寄港数が多いのは、「寄港地」としてよりも、関東にあるため「乗降地」としての役割の方が大きいからだ。となると、「寄港地」としてだけの魅力でいえば、現時点で長崎が日本一なのである。

実際に、長崎がこれだけ寄港地としての客観的評価が高いということに長崎市民はどれだけ気付いているのだろうか。

日本を訪れる外国人観光客の数は少ないの？

『アゴラ』２０１５年7月8日掲載

最近、日本を訪れる外国人観光客が目立って増えている。ところが、世界でのランキングを見ると必ずしも順位が高くない。

「世界観光ランキング」によると、外国人旅行者ランキングで２０１４年の日本の順位は22位。20位の韓国より低い。

日本1342万人で韓国は1420万人。その差約80万人。日本は最近韓国との差を詰めているが、まだ追いつかない。でも、さすがに韓国より低いというのは、皆さんおかしいと思わないだろうか。

日本が韓国に負けているのは統計の基準が違っているからである。韓国は、外国から来て韓国で乗り換えて他の国に向かうトランジット客を、韓国に入国しない人もこの数字に含んでいるといわれている。一方日本は、トランジット客はいったん入国した人しか訪日客に含めていない。

韓国・ソウル仁川空港のトランジット客は年間700万人以上である。この数字を引けば、日本は韓国よりはるかに外国人訪問客が多いのだ。

ところでトップはフランスの8370万人である。日本の6倍以上。でも、これも果たして日本と同じ基準で算出した数字なのだろうか。

ヨーロッパにはシェンゲン条約というものがあって、加盟国は域内で出入国審査をしないことになっている。また、加盟国外から加盟国に入る場合、最初に入った国で入国審査を受けて加盟国内の他国に移動しても、新たに入国審査を受けることはない。

例えば日本からパリ経由でローマに行く場合、パリは乗り継ぎだけで入国しなくても、パリで入国審査を受け、ローマに着いた時には審査がない。イタリア旅行をする時に往復パリ経由であれば、パスポートにフランスの入国・出国印は押されるが、イタリアのスタンプは押されず、イタリアに入国した証拠は残らないのだ。

この時、パリではトランジットだけで入国しなくても、フランスへの外国人入国者としてカウントされるのだろうか。多分されるのだろう。

出入国審査がないということは、正確に自国を訪れる外国人をカウントすることは不可能である。となると、多分フランスに入る飛行機、鉄道、自動車の乗客は、全て自国の訪問者としてカウントしていると考えられる。

となると、毎日通勤で国境を越えている人は、毎日入国者としてカウントされているのだろう。観光客と通勤客を正確に区別するすべはない。

ここまで考えると、他国と比較した観光客ランキングの上下で一喜一憂する意味は、あまりないのだ。仮に日本が韓国を抜くとなると、韓国は対象者を広げて、日本より上に行くようにしてくることだって大いにあり得るのだから。

ゲストハウスブームはユースホステルブームを思い出す

『長崎の経済を考える』２０１９年６月17日掲載

先日、東京で行われた『令和時代の働き方とライフスタイルについて考えよう！』というイベントに参加してきた。長崎に拠点がある「ＨａｆＨ」というサービスの説明も聞きたいのが目的の一つでもあった。

具体的なＨａｆＨのサービスについてここでは説明しないが、簡単にいえば、どこか一カ所に拠点を構えるのではなく、世界中を旅しながら仕事をして生活をしようということである。

最近、ゲストハウスがはやっているようなことを聞いた。インバウンド旅行者が増え、その人たちが安価に泊まれる宿としてゲストハウスが増え、そこで国際交流をしようとする日本人も増えているという流れであろうか。具体的に調べてはいないが、近年ゲストハウスの数は増えているのだろうとは思う。

その話を聞く中で、なんか昔のユースホステルと同じような文脈だなと感じてしまった。

詳細は省くが、ユースホステルはチェックインの時は「お帰りなさい」「ただいま」で、チェックアウトは「いってらっしゃい」「いってきます」である。原則会員制で、世界中にユースホステルの加盟宿舎があり、部屋はドミトリー、夜はミーティングがあって宿泊者が交流して、みたいな感じ。当時はインターネットなんてなかったから、海外（国内でもそうだが）の宿を探す時にはユースホステルの施設ガイド冊子を見て宿を選ぶ。

今回講演されたＨａｆＨの方は、加盟施設を開拓するのが現在の仕事だそうだ。ううん、もうこれ、宿泊料金を月額定額制にしているのが新しい部分で、コンセプトはユースホステルと同じじゃないのかと素朴に思った。

今回の主催者や参加者は１９９０年代以降生まれの人が中心。もうバブル後生まれの人だ。ユースホステルが日本ではやったのはバブル以前なので、その時代を知るはずもないし興味もないとは思うが、事業として成功させるには過去の経緯も知っておいた方がいいとは思った。

それはさておき、最近は若い世代、１９９０年代以降生まれの人が元気なのかなと思うようになってきた。私は１９７０年生まれで、バブル世代と氷河期世代のはざま。私より上の世代（現在50代以上）が元気で、下の世代はさっぱりという感じである。各種のイベントで中心になって活動するのは私より上の人たちで、下はさっぱりというのは、結構いろんな所で当てはまるのではないだろうか。

そして今は、そのさらに下の1990年代以降生まれの人が元気になってきたのかな、と感じるようになった。


HafHが提唱する「アドレスホッピング」という考え方も、そういえば私より上のバブル世代的だという気がしてきた。

そもそも居住地を固定しないとなると、自分一人ならいいが、結婚して子どもができれば家族はどうするのかという問題がすぐ発生する。「そこは考えない。そうなった時に考える」というのが、バブル世代だった。

「後のことを考えない」で済むのは、「後のことはその時にどうにかなる」という思いが根底にあるからだ。バブル世代はそうだった。バブルがはじけるなんて考えもしない。就職は簡単で、困ったらいつでも仕事は見つかる。そういう世代だ。

その後の氷河期世代。もう仕事はない。今でも食えないのに将来いつかは食えるとは思いもつかない。だから安定した職を見つけないといけない。公務員が大人気。その世代の人には先のことを考えずに今を楽しむ、なんてことは到底不可能。仕事以外のイベントにも参加する余裕はないし、そもそも仕事がなくて稼ぎが低い中で、プライベートの活動にお金をかけることはできるはずがない。

それがもう一巡してきたのかなという気がしてきた。近年、就職状況は改善し（これは政治の問題ではない。日本の人口構造が団塊の世代に偏っていて、その人たちが離職して職が一気に増えているのに、若年層の人数が少なくて補えていないだけだ）、バブル時代のように「いつでも職は見つかる」という発想になってきたのではないか。だから、世界を放浪するとか、アドレスホッピングというようなことに思考が回るようになった。

私の世代だと、世界をバックパッカーとして放浪する、なんてのは一世代上の人たちだな、「兼高かおる世界の旅」（１９９０年終了）を見て育った人たちだよという気がするのだが、それが今もう一巡してきたのかな、というのが、先日のイベントに参加した感想である。そういえば、今回の主催者は桃岩荘の「愛とロマンの８時間コース」に参加したことがあると言っていた。あれまだやっていたのかよ。

ニュージーランドでのスキー経験で実感した日本の物価の安さ

『アゴラ』2019年7月23日掲載

近年、海外から日本へのスキー客が増え続けている。

最初はオーストラリア人がニセコに来ていたのだが、それが北米ヨーロッパからも来るようになり、ニセコだけでなく野沢温泉や白馬も外国人だらけになってきた。さらに彼らは全国各地のスキー場を開拓して、外国人スキー客の流れは日本全国に波及している。

今年からはフィンエアーがヘルシンキから札幌への直行便を冬期に運航する。フィンエアーはヘルシンキ空港をハブにしてアジアとヨーロッパを結ぶ路線を拡張している。この路線も単に札幌とヘルシンキを結ぶのではなく、ヨーロッパ各国から北海道へのスキー客を集めることを目的に開設されるのだ。

ではなぜスキー客が世界中から日本に集まるようになったのか。

第一には日本の雪質が世界一であることだ。特に新雪を求めるオーストラリア人には、もう日本以外は考えられない状態になっている。こんなに毎日新雪が降るのは世界中を探しても日本くらいなのだ。

次に外国人旅行者が増えたので、日本語が話せなくても滞在中何の不自由もなくなっていることが挙げられる。今やニセコのひらふ地区や白馬のエコーランドに行くと、スキーシーズンに外を歩いているのはほぼ全員が白人で、日本人の姿を見かけることはない。店に入っても、日本人店員が誰もいなくて日本語が通じないことさえある。

それに加え大きな要因になっているのが、日本の物価の安さだ。外国のスキーリゾートと比べて日本の物価は驚くほど安い。このことを話では分かっていたが、今回のニュージーランドスキーで実感した。

今回、ニュージーランドのクイーンズタウンという街に滞在して2カ所のスキー場に行った。ニュージーランドではメジャーなスキーの楽しみ方である。そこで感じたことを書く。

まずホテル代が高い。まともなホテルだと、1泊3万から4万円は当たり前。1万円程度に抑えようとすると、相部屋のドミトリーにするしかない。

次に食事代も高い。だいたい日本の2倍くらいする。街中のフードコートで焼きそばを食べると１２００円、コンビニでサンドイッチを買うと1個５００円、そんな感じだ。ニセコに行けばコンビニのセイコーマートがあるので、通常のコンビニ価格で物が買える。

さらにリフト券も日本の2倍程度になる。１日券が１万円くらい。何でもかんでも日本の倍かかると思っていい。

そこで思ったのは、滞在費が日本だと1日2万円くらい安くあがるのだ。10日滞在だと、差額は20万円になる。これだけ違うと、冬場なら欧米から日本までの航空券代は軽く出せる。季節は違うが、オーストラリア人がニュージーランドに行くより日本に来たくなる気持ちが痛いほど分かった。

ちなみにアイキャッチ画像[1]はニュージーランドのスキー場の写真である。日本のスキー場を見慣れた人からすると、雪の少なさに驚くだろう。緯度は稚内並み、標高は１６００mから１９００mの場所でもこの程度の積雪である。時期は7月中旬で、日本でいえば1月中旬にあたる。

1　https://agora-web.jp/archives/2040489.html

日本よりはるかに優れていることといえば、キャッシュレス化が進んでいたことだ。これはクイーンズタウンだけでなく、経由地のシドニーやメルボルンでも同様だった。クレジットカードがどこでも使える。タッチ決済も普及していて、スキー場では全てタッチ決済可能だったので、アップルウォッチに登録していたｍａｓｔｅｒカードで、全ての決済ができた。スキーをする時に、財布を持たずにアップルウォッチをかざすだけで、コインロッカーを借りることから食事や買い物の決済が全て可能なのは、本当に身軽になれて便利だった。

また、オーストラリアドルやニュージーランドドルに両替せずに、滞在を終わらせることも可能だった。一応念のため現地通貨も用意したが、使う必要が全くなかった。そのため日本円に両替し直すのも損なので、現金が必要でない場面で無理やり現金を使って、現金を使い終えた。こういう部分は日本も改善できればいいと感じた。

韓国人観光客が激減した対馬は、稚内の経験に学ぼう

『長崎の経済を考える』２０１９年9月29日掲載

先日、「境界地域ネットワークJAPAN（JIBSN）」の年次セミナーに参加した。

このセミナー参加のために、実に20年ぶりに稚内を訪問した。前回稚内に行った時の印象は、とにかく街中にロシア語があふれ、ロシア人がたくさん歩いていたということだった。ところが今回、以前ほどロシア語を見かけることもなく、街を歩くロシア人の姿を見ることもなかった。

これはいろんな社会情勢の変化や、稚内とサハリンを結ぶ定期船がなくなったことなどが理由として挙げられるのだが、地元の人の話を総合すると、以前ほどロシア人が稚内を訪れることはもうないだろうという印象になる。

稚内市も以前はロシア人との交流を重点施策として進めてきていた。もちろん今もその姿勢が変わることはないのだが、ロシア人の急減と大幅な回復の見込みがないことから、20年前と比べて施策の内容を変化させているとのことであった。

対馬と韓国の関係が今後どうなるかは分からないが、今の対馬の状況を見て、稚内市の職員も稚内の経験を参考にできることは必ずあると力説されていた。

JIBSNの活動は、国や県を通してではなく、基礎自治体同士の交流を深めることが目的の一つになっている。

私は今回初めて参加したのだが、国境に接する自治体同士の意見交流を手助けできる立場になれればいいな、とつくづく感じた。

対馬への外国人観光客誘致は、福岡と釜山を結ぶ導線上で考えよう

『長崎の経済を考える』２０２０年1月25日掲載

２０１９年12月に開催された経済地理学会対馬特別例会での話の内容を、ちょっとだけ書く。

1月24日付けの新聞に、以下の記事が出ている。

「福岡―釜山」高速船　「日韓以外」利用客3倍を目標に[1]

1 https://mainichi.jp/articles/20200124/k00/00m/020/295000c

（毎日新聞へのリンク）

まあ、ね、タイミングが悪かったよね。ＪＲ九州が巨大な高速船を博多―釜山航路に２０２０年７月から投入するという計画があって、今の日韓情勢を考えると、客が乗るはずがないという状況だ。

申し訳ないが、日韓情勢に関係なくこの計画は最初から難しいと私は思っていた。博多―釜山航路を利用する客は、安く海外旅行ができるからという理由が大きく、豪華な船でのクルーズを楽しむという需要はほぼないからだ。

それでも就航が決まった以上は、搭乗率を上げるためには日韓以外の観光客を乗せないといけない、という事情だ。

「同社は長期滞在する傾向がある欧米豪の訪日客に注目。九州と釜山を同じ観光圏と位置づけ、旅行中の周遊先として釜山をアピールして高速船の利用を促す」

欧米豪の観光客に着目するのはいい。しかし、わざわざ博多から釜山を往復するだろうか。それは難しいと思う。

私が対馬の例会で提案したのは、特に欧州客を福岡ｉｎ、釜山ｏｕｔなどの行程のなかで、対馬を組み込んでもらおうということだ。

対馬には森があり城跡があり神社仏閣も多いと、西洋人に好まれる要素がふんだんにある。熊野古道のような売り方ができれば、西洋人の観光客を集めることも十分可能だが、国土の端にあるという捉え方ではアクセスが悪く観光客誘致では不利である。

そこで、２０２０年夏ダイヤから就航が決まったフィンエアのヘルシンキ—釜山便を利用して、片道は福岡便、片道は釜山便という使い方を売り込めば、対馬の地理的不利性が解消される。さらにヨーロッパから釜山へのインバウンド客は少ないだろうから、そこは福岡・対馬と釜山が協力することでインバウンド増加を図るようにすればいいのだ。

韓国は仁川のハブ機能を強化する国の航空政策により、長距離便は仁川のみに就航させてきた。釜山にとってその政策を越える待望のヨーロッパ便になる。この路線を維持するためにもインバウンド増加は必須条件なのだ。福岡へのフィンエアー便にしても、インバウンドが弱い関係から夏季のみの就航にとどまっているので、釜山と協力してインバウンド増加を目指すのはお互いにとって悪い話ではない。

ＪＲ九州も福岡から釜山を往復することを売り込むのではなく、片道利用を推進する方向で行く方が現実的である。

ところでアジアからのＬＣＣ路線は、九州の就航地として最初に福岡、次に鹿児島を選ぶ傾向がある。この事実を聞いて「鹿児島って人気があるのか」と思うだろうか。申し訳ないが、観光地としての人気は鹿児島より長崎の方が高い。それでも長崎ではなく鹿児島を選ぶのは、片道福岡、片道鹿児島の利用で九州を縦断する観光客が見込めるからだ。

九州内の移動手段としてＪＲ九州とバス会社は、いずれも九州乗り放題チケットを販売している。こういうチケットを利用し九州を縦断したいと考える海外客が多くなるのは、容易に理解できる。

香港と台湾は日本へのリピーターが多いことで有名だ。ＬＣＣを使って年に何回も日本を訪れる人が多い。そして、香港と台湾からのＬＣＣは、福岡と釜山の両方に就航しているのだ。

そうなると、福岡と釜山を航路で結んでいるＪＲ九州が、福岡―釜山移動に加え対馬周遊が可能な割引チケットを機内で売ったりすれば、アジアから対馬への旅行客は一気に増えるだろう。

ながさき地域政策研究所が作成した「対馬観光再生ビジョン提言書」には、福岡空港を経由してアジア諸国からの観光客を呼び込むと書かれているそうだ。しかし、福岡からわざわざ対馬を往復しようというアジアの観光客がどれだけいるのだろうか。それよりは福岡と釜山を移動する途中で対馬を訪れてもらう方が、可能性ははるかに高い。

行政が関わると、国をまたいだ施策を取るは難しい。しかしこのケースならばＪＲ九州が１社で対応できる話だ。現在ＬＣＣの香港エクスプレス機内でＪＲ九州乗り放題チケットを販売していて、かなり売れている。こういう取り組みを博多―比田勝―釜山航路でも行えばいいのだ。

第3章　農業政策

1　農業構造

食農資源経済学会長崎大会に参加して（1）

『長崎の経済を考える』２０１１年9月21日掲載

9月16日から18日まで、食農資源経済学会長崎大会が長崎市内で開催された。この学会は以前は九州農業経済学会という名称で、現在も年1回九州各県を持ち回りで大会が開催されている。

私も会員なので参加した。本当は全日程参加したかったのだが、他の用事が先に入っていたこともあり、16日と17日の午前中だけの参加となった。

私は一応農業経済学が専門であるのだが、実は主要な調査地域が東北・北海道であったため、長崎の農業についてはほとんど素人である。今回、２日間（どちらも半日なので、実質1日分）しか参加できなかったが、そこでの議論を通じて、ほんの一部ではあるが長崎の農業が分かった気がする。

まず1日目の内容から。

初日は、県内の元気な農家の方から事例報告があった。長崎での先進的な農家の方のお話を聞けて、非常に有意義であった。

この農家の方々の特徴として、皆さん明るい、元気がある、ということが挙げられる。「暗い暗いと言う産業に未来はない。明るく夢を持たないとダメだ」というようなことを皆さんおっしゃっていた。

まさにその通りだと思う。先行きがない、暗い、厳しい、というようなことばかり言うような産業に未来があるはずがない。厳しさを強調するのは、「苦しいから補助を下さい」という後ろ向きの姿勢でしかないのだ。

そして長崎の農業をけん引しているのは、今回発表されたような、明るい農家の方々なんだなと思った。

それからもう一つ印象的だったのは、「きちんと稼げれば後継者も自然とできるんだ」というお話だ。

これは私の持論でもある。私が東北や北海道の農村を回っていた時の印象でも、きちんと稼げている農家では大きな後継者問題は起こっていない。後継者問題を解決する一番の方法は、きちんと稼げる経営体を作ることだという私の持論が、さらに裏付けられた気がした。

似たような話の繰り返しになるが、「日本の農業は競争力がないから、国の補助がないと消滅してしまう」なんていう議論はあまりに後ろ向きすぎる。強い経営体は全国各地にそして長崎にもたくさんあるんだから、そんな後ろ向きの議論よりも、強い経営体を広く紹介しそれを広げていく、という方向性がより重要だと感じた。

食農資源経済学会長崎大会に参加して（2）

『長崎の経済を考える』２０１１年９月27日掲載

２日目の議論から。

２日目の共通テーマは、『国際環境変化の下での地域農政のあり方』だった。

はっきり書いてはいないけど、明らかにＴＰＰ対策のテーマだろう。

報告は４人。そのテーマだけ書くと、
「国際環境変化の下での農業経営戦略と地域農政」
「次期ＥＵ共通農業政策（ＣＡＰ）の方向性」
「韓・米ＦＴＡの締結と韓国農業の対応」
「ながさき農林業・農山村活性化計画について」

４人目だけは長崎県の話だが、全体を通してＴＰＰ対応の議論であることは間違いない。

こうした国際的な対策を考える機会を長崎で作っていただいたことに対して、学会の方々には感謝する。

そもそも、ＴＰＰの賛成や反対は別にして、導入したらどうなるかという議論をするのは本来重要なことのはずである。しかし、特にマスコミでは、賛成ありき、反対ありきの結果ありきから導き出された理由ばかりが語られる。

もちろん、研究者レベルや（多分）高級官僚の方々はＴＰＰの影響に関する議論はたくさんやっている。しかし、長崎のような日本の端に住んでいると、こうした議論に接する機会はほとんどない。

私も東京大学という組織内部にいた後、長崎に戻ってきて長崎で一般人をやってみるといかに中央の情報が入ってこなくなるかということを痛感した。

前置きはさておき、私が今回の報告で特に注目したことを書きたい。

まずはＥＵの農業政策についてである。

国際的な議論がどう進んでいるかが分からないと、なぜＴＰＰの議論とＥＵの農政が関係してくるのかは理解しづらいだろう。ＥＵの農政が重要なのは、ウルグアイラウンドの合意にさかのぼる。

ものすごく大ざっぱな話をするが、ウルグアイラウンド当時の世界の貿易は、日本・アメリカ・ＥＵが中心となっていた。そして、この3者が国際貿易のルールを作る主役であった。こと農業に関していえば、アメリカと日本・ＥＵの政策が対決することになる。というより、日本にとって、アメリカの農業よりＥＵの農業の方が親和性が高い。となると、日本がＥＵと組んで農村保護的なルールを作って主導権を取れれば、アメリカを押しきれるということだ。

ウルグアイラウンドの時代は、日本国内の雰囲気からすると、自分たちが国際ルールを作る主体になるという気持ちは希薄であった。国際ルールというのは、どこかで定められたものを日本が受け入れるという感覚だった。

そして、ウルグアイラウンド締結後、実際に動いてみると、アメリカやＥＵが「国際ルール」として公平そうな決まりを作っていても、中身は自国に有利なものを巧みに折り込んでいるということが分かった。日本だけが損をしたといっても過言ではないような状況だった。

これで日本は学習した。以後国際ルールができる時は、きちんと自国に有利な条件を相手を納得させながら折り込むことが必要だということを。そして、「ルール作りに参加することが重要だ」ということを。ここが重要。そもそも、日本はルール作りに参加するという意識が希薄だったのだ。再度書くが、国際ルールというものは、自ら作るものではなく、できたものを受け入れるという感覚だった。

ウルグアイラウンドの合意後、日本の農業経済学研究者は、ＥＵの農業政策を学ぶことに勢力を注いだ。先に書いた通り、ＥＵの政策は日本の農業政策と親和性が高い。そしてＥＵ

の政策をベースにすれば、以後の国際交渉でも日本に有利なルールを作ることができるからだ。

こうして生まれた政策が中山間地域等直接支払制度であり、農家への個別所得補償である。

東京にいた頃には熱心に勉強していたEUの農政であるが、長崎に来てからはとんとご無沙汰していた。それが今回話を聞く機会ができて非常にうれしかった。

そして、今回の講演によると、EUの共通農業政策は確実に進歩している。当然といえば当然だが、時代の変化に応じて適切な政策を作るのはごく当たり前のことである。

翻って日本の農政はどうだろうか。先に中山間地域等直接支払制度のことを書いたが、そうした変化はごく一部。基本的にはウルグアイラウンド締結当時から何も変わっていない。6兆円以上も投じられたウルグアイラウンド対策費が、日本農業にほとんど変化を与えなかったのは周知の通りである。やはり、日本は何も学習していないと言わざるを得ない。

TPP反対を叫ぶのも結構である。しかし、そうした外的変化に関係なく、日本の農業を取り巻く環境は変わっている。その変化に対応した農業政策を考えることもなく、単に現状維持を叫ぶことに何の価値があるのだろうか。ＴＰＰうんぬんに関係なく、現状に則した農政なり農業補助の方向をもっと積極的に打ち出す必要があるのではないだろうか。

最後に重要なことだから、もう一度書く。

国際的なルール作りには、ルールを作る段階から参加しないと不利になる。日本ほどの大国なのであるから、国際ルールはできたものを受け入れるのではなく、ルールを作る段階から参加してしかるべきなのである。ＴＰＰに関してもそう。できてもいないルールを受け入れるかどうかで賛成反対なんて言うのはナンセンス。まずルール作りに参加しないと始まらない。そこで自国にとって不利なルールしかできなそうなら、その時点で降りればいいことである。そこをしっかり理解しなければならない。

食農資源経済学会長崎大会に参加して（3）

『長崎の経済を考える』２０１１年10月24日掲載

大会では、長崎県農政課長から長崎県の農業についての説明もあった。

私は以前書いたように、長崎の農業については詳しく知らなかったので、とても有意義だった。

ここで一番興味深かったのは、長崎県の農業は全国レベルで見ても近年大規模化が進んでいるということだった。

県の調査によると、販売金額１０００万円以上販売農家の平成7年と平成17年の数を比較すると、長崎県は１４２・７％に伸びており、これは全国の都道府県の中で1位である。

また、施設のある農家数は１０２・７％で3位（3位の県までが増加、ほかは減少）、施設面積では１２１・９％で2位である。

どちらも、全国平均値は減少している。

私も何となく感じていたことだが、長崎県の農業は国内では比較的元気であるということが、数値で表れているといえよう。もともと長崎県は土地条件が悪かったので、近年、それを克服する経営体が育ってきていると考えられる。

これは長崎に限らず全国共通した話であるが、農業経営の大規模化というのは着実に進んできている。小規模農家だと経営が成り立たないので、おのずと大規模化していくのは自然の流れである。

長崎県でもこの流れに乗って、さらなる大規模農家への集約を進める方針だということである。

またちょっとだけTPPの話を持ち出すが、TPPに参加すると小規模農家がつぶれる、といって反対する人が多い。しかし、現実の流れを見ると、TPPの参加いかんにかかわらず、小規模農家が衰退していくのは自然なことである。

この自然の流れを無理やり食い止めようとするのか、さらに加速させようとするのかは考え方次第である。ただ、「日本では大規模経営はできない」などと、現実の農業経営の流れを見ずに反対だけするのでは、多くの国民の理解を得ることはできないのではないか、と私は思う。

山間部の農地は誰が担うのか

『アゴラ』２０１４年５月22日掲載

「誰も担わない」というのはナシにします。

最近、「限界集落」という言葉をよく聞く。しかし実際には、言葉だけが独り歩きをしていて、本当に「限界集落」の実態や問題点を把握していないと思われる話が、そのほとんどだと筆者には感じられる。それに関する私見を述べたい。

話は25年ほど前、私の学生時代にさかのぼる。

農村調査のために、中国山地の一番山奥にある、とある村を訪れた。当時はまだ何も知らない学生だったので、ここでは私には想像もできないような、非常に特殊な形態の農業を行っているのだろうと思っていた。

まず役場で村の産業の概要を聞き、それから何軒かの特徴のある農家を教えてもらった。

１軒だけ、積極的に稲作をやっている農家がいるとのことだった。

そして役場を後にし、その農家の自宅に出向き、本人から直接話を伺った。当然こういう山間地なので広い農地はない。だから、かなり広範囲の農地（当然、村外の農地を多く含む）の農作業を受託しているということだった。話を聞く限り、積極的に農業をやりたい、という強い意志のもとに農作業をやっている感じではなかった。生活しないといけないので、自分にできることなら何でもやらざるを得ない、というような消極的な雰囲気だ。ちなみにこの方、自宅では民宿も開いているので、専業農家ではない。

話をする中で、私がそれより以前に訪れたことのある、海辺の干拓地にある大規模農家の話を出した。この周辺は干拓地だから水田の条件はいいけど、だからこそ逆に誰も土地を手放さない。規模拡大をしようとすると、かなり遠隔地の農地まで借りないといけない。車で片道1時間くらいかかる所も珍しくないというようなことを聞いた、と私からこの農家の方に話した。

すると、ちょっと考えて、「自分もやっていることは同じだ。車で1時間くらいは当たり前。考えたことはなかったけど、今計算してみたら、この秋は稲刈りだけで1人で40ヘクタールくらいの作業をした」という言葉が返ってきた。ちなみにこの頃の稲作農家の1戸あたり平均経営面積は1ヘクタール程度である。

この話を聞いて、結局平地でも山間地でも、やっている稲作の形態は本質的に変わらないということが分かった。もう答えは出てるじゃないかと思い、私は自分の研究対象から山間部の稲作を外した。

この村のこの人が特殊な事例なのではない。日本中、ありとあらゆる所にこの程度の大規模農家は存在する。たくさん存在する必要はない。1軒いればその1軒が、かなりの面積の農地を担ってくれるのだ。

結局、車で1時間くらいかかる地方都市に住む人が、山間部の農地まで耕作すれば、農地は維持できるのである。人口3～5万人程度の地方都市から車で片道1時間の範囲となると、日本全体で山間部まで含めてかなりの部分をカバーできる。

私がこの話を聞いてから、もう四半世紀がたっている。その間どうなったかと言えば、ゆっくりではあるがここに書いた流れが広がっている。そしてそれは、全国どこに行っても共通の動きだ。

「限界集落」うんぬんという話の中には、その集落の農地はその集落に住む人間が担わないといけない、という暗黙の前提があるように感じられる。しかし現実を見ると、決してそうなっていない。今後も限界集落にある農地は近くにある地方都市の農家が担えばいいのであって、実際にそういう風に流れているのだ。

そもそも「限界集落」という言葉自体、社会学者から生まれたものである。集落がなくなって困るのは農業などの経済活動ではなく、地域文化の継承などといった社会学的な側面なのである。経済学的な問題はここに書いた通りもう四半世紀前に答えが出ている。

もちろん狭小な棚田など、遠くから通って耕作するには割の合わない所は出てくる。経済的には見放されても仕方がない。しかしもしそういう棚田に価値があるとすれば、文化財として保護すればいいことであり、やはり現実もその方向で動いている。

経済的な側面と文化的な側面はきちんと切り分けて議論しなければならない。

日本がオランダの農業に学ぶべきこと

『アゴラ』2012年7月12日掲載

最近、オランダの農業に対する注目度が高まっている。安倍政権の成長戦略のなかに農業の成長産業化がうたわれ、その実現のために、国土面積が狭いにもかかわらず農産物輸出額が世界第2位であるオランダに倣おうという動きが出ているためだ。

先日、オランダの農場を見る機会があったので、そこで感じたことを書きたいと思う。

最初に断っておくが、輸出うんぬんは結果であって目的にすべきことではない。農業の生産性が高まり価格競争力がつくことで、結果として輸出が増えることになるのだ。最初から輸出をすることを目指すのではなく、農業の生産性を高めて競争力を持つことを日本は目指すべきである。

まず、オランダ農業の状況を大ざっぱに紹介する。

もともとオランダには大規模な干拓地があり、そこは酪農用の放牧地や飼料作物栽培地として利用されていた。

そして近年の動きとして、大規模なハウスを建設してそこでトマトやパプリカなどを栽培する農家が出てきた。こうした作物の栽培は、ハウスなどの施設建設に投資しても栽培効率が上がることでさらに利益が増えるので、農家はどんどん投資し、施設がどんどん大規模化・効率化してきた。

一方で酪農は競争力を失っており、酪農用だった干拓地の土地を規模拡大を目指す野菜農家が買い取って、施設野菜の規模がどんどん拡大しているというのが現況である。

このことから日本が学ぶべきことは二つある。というより二つしかない。

一つは土地の流動化を進めること、もう一つは農家に融資する金融機関を育てることである。たったこの二つのことが解決すれば、日本の農業は間違いなく大規模化、効率化する。ところがこれを実現することが非常に困難なのだ。

オランダでは前述した通り、規模を拡大したい農家が他人の農地を買っている。農地の市場が成立しているからこういうことができる。家の近くに土地がなければ、遠く離れた場所に土地を買い求め、移転している。また相続税が高いため、親が子どもに農地を引き継ぐ時にも、子どもは銀行でローンを組んで親から土地を買うのだそうだ。相続するより買い取る方が安くつくらしい。こうして親子間の継承でも土地の売買が生まれている。

日本でも競争力を失っている水田所有者が、高付加価値化できる施設園芸農家に土地を売れば、オランダと同じようなことを起こすことができる。しかし、日本は水田を保有することに対するメリットが多くデメリットが少ない。そのため農家は農地を手放さず、競争力を持たない農家から他品目の農家へ土地が売買されるケースが少ないのだ。

これを解決するのは難しいだろう。しかし例えば宮崎平野では、実際に水田から園芸施設への転換が進んでいる。宮崎は米の競争力が低く、野菜の競争力が高いので、市場の力で転換が進んでいるのだ。他地域でも制度設計をしっかりすれば、農地の土地利用を流動化させることは可能であろう。

金融については、本当に大規模化したい農家が増えれば、都市銀行は対応すると思われる。先日みずほフィナンシャルグループの株主総会に出席したが、そこで佐藤フィナンシャルグループ社長自らが、農業向けの融資は増やすと明言された。都銀は政府のいうことは聞くので、政府の方針さえぶれなければ金融の問題は解決するだろう。また資金面でいえば、資金力を持った企業を農業に参入させるべきかということは、オランダに見習うとすれば関係ないことだ。オランダも大規模な個人経営の農家が自力あるいは共同で融資を受けている。最初から資金力を持った企業を参入させる必然性はない。

実際にオランダ農業を見た印象としては、日本も同じような成長ができないことはないと感じた。私だけでなく、同行した農協関係者も同じ印象を持ったそうだ。そのためにも、ここで挙げた２点が解決されることを期待したい。

２　日本産農産物

国産チーズの原料は輸入チーズ

『アゴラ』２０１３年４月２６日掲載

チーズの関税が高い、ということに対する間違った認識が広がっているようなので、少し説明したい。

その上で、貿易自由化をにらんだ日本の乳業メーカーの輸出戦略についても考えたい。

チーズの関税が高い、という話の元になったのは、以下の記事である。

日本のチーズがまずい理由が悲しすぎる（リンク切れ）

今、このリンク先を見ていただくと、元記事が間違いだったことがよく分かるだろう。

「輸入チーズには８００％の関税がかけられている」、なんてことが書いてあったのだが、完全に削除されていて、原形をとどめていない。

こういうまとめサイト記事もできている。

「輸入チーズ関税８００％」は本当か[1]

元記事が修正されたといっても、今でも「日本はチーズに対する関税が高いから、外国産のチーズが高い。」と思っている人は多いだろう。今回の件は、一度ネットで広まったうそは、簡単に修正できないといういい事例になった。

それはさておき、タイトルに関する話。

国産チーズの原料の大部分は、実は輸入チーズなのである。スーパーに並んでいる国産チーズのパッケージの裏を、一度見ていただきたい。かなりの商品に、原料として「ナチュラル

1 https://togetter.com/li/484002

チーズ」と書いてある。商品名に「十勝」と書いてあるものでも、原料としてナチュラルチーズと書いてあるものもある。そして、そのナチュラルチーズのほとんどは輸入品なのだ。

製品としてのチーズは現在でも自由化されていて、30％の関税を払うと誰でも輸入することができる。30％でも高いという人もいるかもしれないが、為替レートの変動を考えると決して高いとはいえない。つい先日までの円高ででも、30％分の関税分くらいは帳消しにできたのだから。

次に、原料としてのチーズの輸入については今でも制限がかけられている。このことをどう理解するかだが、原料輸入に制限がかかり製品輸入は自由化されているとなると、一般的には日本のメーカーにとっては不利な状況である、と考えられないだろうか。

では、原料輸入も自由化されるとどうなるか。日本で原料用チーズをどんどん輸入して、日本のブランドを付けて、海外でどんどん売ることが可能になるのである。

前述した通り、今でも日本国内で輸入チーズを原料とした十勝ブランドのチーズが売られている。同じことで、輸入チーズを原料とし北海道ブランドを付けたチーズをアジアの国に輸出すればいいのだ。

北海道ブランドは、アジアの国において確立してきている。例えば香港の街中を歩くと、あちこちで「北海道」という文字を目にする。それを生かして積極的なビジネスを展開できる可能性が開けてくるのだ。

ＴＰＰを契機にして、地方企業が海外を視野に入れた戦略を立てることは十分可能なのだ。食品産業は一つの可能性を示している。いくらＴＰＰに反対したところで参加する方向にあるのは間違いないのだから、反対運動をする労力を新しい産業を発展させることに向けた方が、より生産的であろう。

蛇足であるが、農村部における食品産業の発展可能性については私の著書で触れているので、ご興味があるという奇特な方がいらっしゃれば参照いただければ幸いである。

『アゴラ』２０１６年11月28日掲載

バター不足はなぜ起こるのか？

すみません、いまさらの話で。

理由は「政府がバターの需給予測を誤ったから」で終わりです。

バターの輸入は政府が管理していて、足りない分は輸入する制度になっているんだから、国内でバター不足が起こるということは、輸入量が足りなかったってことです。それ以上の理由はありません。

何でいまさらこの話をするかといえば、今ごろとあるテレビ東京の番組を見たからです。それで、ちょっとこの番組の内容を補足した方がいいかな、と思って。

私が1番世間で誤解されていると感じることなんですけど、牛乳は別に農協を通して売らないといけないという決まりはないんです。単に、農協を通さないと補助金を受けられない、というだけで。自由に売り買いすることに何の制約もない。

そして、その補助金というのは飲用乳向けにはない。加工乳向けだけ。だから、全量飲用にすれば、最初からもらう補助金なんてないんです。

しかも、乳価は用途ごとに決まっていて、飲用が一番高いんですよ。ってことは、全量飲用にすれば、補助金をもらう必要もなく乳価は高いし自由に売り買いできるしで、いいことずくめじゃないですか。

じゃあなぜそれをしないのか。農協が怖いから？　それだけじゃないでしょ。それだけじゃないんです。

牛乳の消費量は夏に増えるんだけど、乳牛の生産量は夏場は落ちるんですよ。だから夏場に合わせて牛の頭数をそろえると、冬場には牛乳が余る。余った牛乳はどうしましょう？搾らない？　捨てる？

飲用の牛乳は日もちしないけど、バターなら日もちがする。だから、余る季節にはたくさんバターを作って、需給調整をします。

農協を通さない組織を業界では「アウトサイダー」といいます。アウトサイダーになれば補助金を受けられませんが、飲用乳の割合を高めれば、農家の買い取り乳価は高くできます。ってんで、飲用比率の高い買い取り業者が、「うちは農家から高く牛乳を買います」って商売ができますよね。番組で取り上げられていたＭＭＪがそういう会社かどうかは知りません。

例えばの話ですけど、こういう買い取り業者が牛乳が余ったからと言って、「うちの牛乳をバターにしてくれませんか？」って工場を回ったら、引き受けてくれると思いますか？「いい所取りをしている会社が何を言う」って断るのが普通じゃないですかね？　私なら断りますよ。「バター工場も自前で作れ」って言いたくなりませんか？

ホクレンが北海道全農協で一律の買い取り乳価を設定しているってのもそれなりに理由があるんですよ。

例えば浜中町の農家が、「うちの牛乳はタカナシ乳業が買ってくれていて、いろいろうるさい指示にも従っていて、その分質の高い牛乳を出荷しているんだ。だから、他の農協より高い値段で買ってくれよ」と言いたくなる気持ちは分かります。

でもね、例えばM社というアウトサイダーの買い取り業者が浜中町にバター工場を作ったとしますよ。それで、M社は全国で牛乳の取引をしていて、全国的に牛乳が余ってきたとしますよね。季節要因とかで。そうしたら、バターを作る量を増やすことになる。当然、本州の牛乳を北海道に持ってきてバターにするのは輸送費の無駄だから、浜中町で生産された牛乳からバターにしますよ。その時に、「浜中町の牛乳はバターになっているので、浜中町からの買い取り価格は安くします」って言ったらどう思います？「M社は全国一律の買い取り価格にすべきだ」って言い出しませんか？

あれ？

番組の中で、「バターが足りないのに、ホクレンは単価の高い飲用乳を減らしてバター用に回さないのはけしからん」みたいなことを言っていたけど、そりゃ農協は農家のための組織なんだからね。バターが足りないって消費者が困ろうが、それは政府がバターの輸入量を適切にできなかったから悪いんであって、ホクレンが悪い訳じゃない。農家の手取りを減らすことにつながる、飲用向けを減らしてバター用に向ける、なんてことをしちゃいかんと私は思うんですけど。

あと、農家が農協を通さずに別の業者に売るのなら、農協からの借金を全部返せと言われたことに対して、理由がないとか言ってましたけど。理由はあるんですよ。私が組合長に代わって説明してあげれば良かった（苦笑）。

銀行の融資って取引先も大事な条件なんです。物を作ったのはいいけど、売る所がなければ、借金を返してもらえませんからね。売った先がつぶれても同様。売掛金が何千万円も焦げ付いたらどうします？　生乳の販売額なら数千万円の売掛金はすぐにたまりますよ。

例えばね、今の話で、「じゃ農協からの借金を銀行に切り替えます」って言って、銀行を回ればいいんですよ。私が相談を受けた銀行員なら、「農協に売るんなら貸します」って答えますね。だって、M社なんていつつぶれるか分からないですから。申し訳ないけど。M社がつぶれた時に、他に売り先が見つかる保証もないですし。えっ、そうなれば農協に売ればいいって？　農協なら買ってくれるはずだって？　それって虫が良すぎません？

あの番組には多少解説が必要だと思ったので、この文章を書きました。

香港で長崎県産びわをＰＲしよう

『長崎の経済を考える』２０１７年５月３日掲載

日本からの農産物輸出が徐々に増加している。その相手国として、香港の重要度は高い。

香港は食糧自給がほぼ不可能であり、かつ中国産農産物の不信感が根強い。そのため、日本からの農産物輸入も増加している。農産物に対しての輸入規制も緩く、日本からの輸出相手国としてはハードルが低い。

長崎県産の農産物も多く輸出されている。実際には福岡の青果市場から香港に輸出されていることが多く、生産者が自分で生産したものが香港で売られていることをほとんど知らないのが現状である。今の季節だと、じゃがいもや人参などの野菜が博多港から香港に輸出されているのだ。

長崎県産の農産物といえば、代表的なものとしてびわが挙げられる。国内での生産量は1位であり、香港で売られているびわも、ほとんどが長崎県産である。

では、香港でびわは売れるのだろうか。

実は相当売れているのだ。

スーパーやデパートだけでなく、小さな果物屋にも日本産びわが並んでいて、それはほぼ長崎県産なのである。

ところが、香港では「びわ」と「長崎」という地名が結びついていない。香港でも長崎という地名は浸透しているのであるが、それがびわと関連させて認識されていないのは、残念である。「あまおう」と「福岡」ぐらいの関連性には持っていくことを目指すべきではないだろうか。

そのためにも、観光と農産物を結びつけたプロモーションが非常に大事である。長崎に観光で来てもらって、びわを食べてもらう。もちろん、長崎側でもびわを食べてもらったり、びわ農園を見学できるような受け入れ態勢は必要だ。現状何もやっていないに等しいので、香港での長崎県産びわの売れ方を見ると非常にもったいないことだと思う。

日本の農産物は国際競争力がある

『アゴラ』２０１７年７月24日掲載

荘司雅彦氏が日本の農産物に関して記事を書かれている[1]。

ご本人が『農業分野に関して私はあまり詳しくない』と言われているので、私から補足したい。日本の農産物は国際競争力がどの程度あるのか、実はあまり知られていない。庄司氏が『日本は通常の穀物や野菜、果物に関しては「比較劣位」にあり、高級果物に関しては「比

1 https://agora-web.jp/archives/2027342.html

較優位」にあると認識しています。』と書かれているが、この認識はあまり正しくない。国際競争力は、国内で国産品が輸入品に対抗できるのかという国内市場の点と、海外において日本産の輸出品が他国産品に対抗できるのかという海外市場の二つの側面から考えられる。この両面から話をしたい。

まず国内市場について。

国内市場では、海外産品に輸入関税をかけることによって、国内産の競争力を保つようにしている。では、農産物にかかる関税はどの程度なのだろうか。

農産物にかかる関税率は高いと思われているが、実は野菜についてはそこまで高くない。おおむね5％以下である。取りあえず、じゃがいもが5％、たまねぎが10％と考えてもらいたい。アメリカからでも、この関税を払えば日本にじゃがいもやたまねぎを輸入することができる。しかし、現実の日本市場は北海道産でかなりの割合を占めている。この現実を、「日本産は関税で守られている」と見るか、「日本の『普通の野菜』でも競争力がある」と見るかである。私は日本産に競争力があると思う。

オランダは世界中にトマトを輸出している。当然日本もターゲットで、日本のスーパーにもオランダ産のミニトマトが並んでいる。しかし、なかなか日本産のミニトマトを淘汰できない。これも3％の関税に守られていると見るのか、日本産に国際競争力があると見るのか、どちらかである。

続いて海外市場について。

香港やシンガポールのスーパーに行くと、日本産の野菜や果物が普通に並んでいる。決して高級品だけではない。

香港では鍋料理がよく食べられていることもあり、日本産の白菜やえのき茸がスーパーに山積みされている。決して高級品ではない。日本で普通に売られているものが、香港でも売られているのだ。特にえのき茸などは工業製品みたいなものである。広大な土地を必要とする産品ではないので、特に日本が国際競争力に劣るということもないはずである。

マスコミや農水省は、特別に関税が高い産品についてだけ声高に話をする傾向があって、こうした「普通の野菜」に関して話題に上ることがない。だから多くの日本人は、日本の普通の野菜がどれだけ国際競争力を持っているのかを知る機会がない。

だから、誰かがもう少し客観的な事実をふまえて、日本農業の現実を知らせる必要があると思っている。私も機会を見て、積極的に発信していきたい。

不安をあおるだけのＴＰＰ発効報道はやめよう

『長崎の経済を考える』２０１８年12月30日掲載

２０１８年12月30日にＴＰＰが発効し、それに関する報道もされている。ただし、いつものことであるが、国内農家に対して不安をあおる内容が中心である。

長崎県内農家の多くは、農畜産物の関税の撤廃や引き下げで安い輸入品が増加し、国産価格が下落することを懸念している。一方、海外への販路拡大に向けた好機とする声も聞かれた。（長崎新聞の記事から引用。リンク切れ。）

もともと日本（農水省）の農政は、「日本の農業は弱い」と過度に主張することで、「弱いのだから保護するために補助金を出せ」というスタンスを崩していない。だから、とにかく「日本の農業は補助金がないと崩壊する」という言い方しかしない。

上記長崎新聞の記事も、見出しは価格下落と海外販路拡大を対等に並べているが、記事を読めば価格下落に対する不安についての内容が圧倒的である。

そもそも関税の低下による輸入増について、客観的に影響を述べる記事がマスコミに出ることはない。『科学的』には、関税の影響よりも為替レートによる影響の方がはるかに大きいのだ。

例えば為替が1ドル120円から80円に変化したとすれば、関税率が50％低下したのと同じ効果になる。実際に為替が120円から80円に変化したことはあるし、その影響で日本の畜産農家が崩壊したという事実はないのだから、関税が多少下がったとしても急激に日本の農家が崩壊することはない。理屈上は、関税率低下に対する補助金を入れるよりは円高に対する補助金を出す方が実効性は高いのである。

上記記事の本文に書いてあるが、輸入牛肉の関税率は現在38・5％、豚肉の高級部位は4・3％である。為替の変化に比べると影響は少ない。こういう客観的な事実もきちんと報道すべきだ。

次に輸出の拡大については、具体的な話が全く書いていない。これは長崎新聞が悪いのではなく、県農産物輸出協議会がきちんと話をして記事にしてもらうように努力しないといけないことである。

ＴＰＰ発効に伴う輸出の拡大で具体的に何が期待できるかというと、ベトナムへの青果物の輸出である。

ベトナムは現在、青果物の輸入を原則禁止している。これがＴＰＰ発効を契機に、日本からの青果物輸入を解禁させれば、日本からの輸出が大きく増えることが期待できる。長崎県からベトナムへは現在牛肉が輸出されている。全国の都道府県のなかでは早めに動いている方である。

こういうルートは早く作ったもの勝ちな部分がある。中国への水産物輸出がいい例で、長崎魚市がいち早く中国へのルートを作ったので、中国の輸入水産物市場では長崎県が確固とした地位を築くことができた。

もし青果物の輸入が解禁されれば、牛肉のルートを使って青果物もいち早く売り込むチャンスが生まれる。

以前の記事でも書いたが、長崎産びわは香港でも相当な量が売れている。これを東南アジア各国に広げていける可能性をＴＰＰ発効に期待しようではないか。

例えば現在タイでは日本産びわの輸入が禁止されている。タイもＴＰＰに参加すれば、それを契機にびわの輸入の解禁を迫ることだってできるのだ。

こうした具体的な話を、きちんと報道してもらいたい。

あとがき

本書をまとめるにあたって、久しぶりに自分が過去に書いた文章を読み返すことになった。私の中では当たり前でも、世間では、特に東京の人にとっては当たり前じゃないよね、と思った記事をこんなにたくさん書いていたのかとわれながら驚いた。

これを読んだ東京の人も、読んだ時には「へぇ、そうなのか」と分かってもらえても、多分、すぐ忘れて元通りの考え方になるのが現実だろう。

私と多くの都会人との認識が違う原因になっているのは、「地方は東京に助けてもらわなくても生きていけるんだ」という考え方の有無である。基本的に地方の人は「地方は食えないから助けてくれ、補助金をくれ。」という言い方しかしない。特に農政に関してはそうだ。

財政にしても同じ。消費税を全額地方税にすれば、計算上は地方交付税を廃止しても、地方は同等の財源を手にすることができ、大都市圏からの財政移転がなくても生きていける。基本的に地方の意見は感情論が多すぎるのだ。私は経済学の基本理論をもとにした説明を心がけて記事を書いてきた。もう少し、私のような考え方を発信する人が増えてほしいとずっと思っている。

それから、そういえばTTP騒動があったな、となつかしく感じた。あれだけ「TPPはアメリカの陰謀だ。TPPが締結されれば日本の農業は崩壊する。」と言っていた人たちはどこへ行ったのだろうか。私は騒動の最中から「あれだけ騒がれたウルグアイラウンドだって、結局締結されても何も変わらなかったじゃない。ＴＰＰも同じだよ。」と冷めた目で見ていた。農業の専門家としての立場から内容を吟味しても、大して変化が起こるようには思えなかったのだ。そして、日本を陥れるはずだったアメリカがＴＰＰから脱退し、今は「ＴＰＰって何だっけ？」というのが多くの人の認識だろう。

この本に掲載した記事で一番新しいものは２０２０年1月のもので、その後もう1年半も経過している。この期間に書いた記事はコロナ関連ばかりで、今取り上げることでもないと思い、今回は掲載しなかった。これも時間がたって見返したら、「あのコロナ騒動は何だったのかな」と思うことになるのだろう。

本書の内容はインターネット上で公開した記事です。本書掲載にあたって、漢字とひらがなの変更や句読点の修正等は行いましたが、基本的にはほぼ同じ内容のままです。

ネットに載せる記事は推敲が甘く（これ自体は今後に向けても反省しないといけません）、後で読み直すと表現などを大幅に修正したくもなりましたが、やり始めるときりがないので、今回は手をいれないことにしました。

本書の出版を引き受けていただき、校正やタイトルを一緒に考えていただいたリーブル出版の坂本さんには深く感謝します。

２０２1年8月　　前田　陽次郎

改訂版発行にあたって

この本の初版を出したのは2021年8月。「はじめに」にも書いているとおり、コロナ騒動が1年以上続いて嫌になった頃だった。まさかこの時には日本でコロナ騒ぎがその後2年も続き、「コロナ対策禍」がさらにひどくなるとは全く思っていなかった。私は2021年6月にマスクを外し始めたアメリカのテキサス州やフロリダ州を訪れ、そろそろ日本でもマスクを外してコロナ騒動が終わりに向かうのではないかと考えていた時期である。

私自身はちょうどコロナ禍が始まった2020年6月にほぼ全ての仕事を辞めて、大学の職を探す生活に入っていた。2年くらいなら生活できる蓄えはあるので、日本中を探せばどこか1カ所くらいは雇ってくれる大学があるだろうと考えていた。ところが現実は厳しくなかなか職場が見つからず、やっとコロナ禍の終わりが見えてきた2023年10月に福井県立大学地域経済研究所に教授として着任することができた。この間ほぼ無収入だったために生活は苦しかったが、どの組織にも属していないので、コロナ禍においても周囲からの制約を受けることなく自由に旅行をすることができた。

2020年11月に誰もマスクを着用していないフィンランド・スウェーデンを訪れ、2021年6月にやはり多くの人がマスクを着用していないアメリカ共和党州の状況を見た。フロリダからの帰国時、乗り継ぎのために立ち寄ったニューヨークではたまたまマスク義務解除の日で、街を歩く人々がマスクを外す様子を直接見ることができた。

この時の様子はインターネットサイト「アゴラ」に寄稿しているので、興味のある人はご覧いただきたい。各国の規制の範囲内で行動して諸外国の状況を直接経験するのは重要なことだと思うし、私は職に就いていなかったがためにこうした経験ができたのは、かえっていいことではあった。コロナ禍においては自由な行動が制限され、コロナ対策に疑問を呈することや、マスクやワクチンの有効性について科学的根拠から広く意見を言うことができなかった。Ｔｗｉｔｔｅｒや ＦａｃｅｂｏｏｋといったＳＮＳでは発言が凍結され、マスコミでもほぼ取り上げられなかった。こうした中でも「アゴラ」だけはコロナ初期から科学的にコロナ対策を批判する記事が多く掲載され、私の記事も何度も採用していただけたので、貴重な存在のメディアだと再認識した。

現在、私は長年住んだ故郷の長崎県を離れて福井県に住むことになった。長崎で新幹線の開業を迎え、また福井で新幹線の開業を迎えるという変な縁ではあるが、今後は福井県経済の発展のために、さらに研究を進めていきたいと思う。

２０２３年10月　　緑豊かな福井県立大学永平寺キャンパスの研究室にて

著者略歴

前田 陽次郎（まえだ ようじろう）

1970 年長崎市生まれ。
東京大学理学部地学科（地理学）卒業。
東京大学大学院経済学研究科博士課程単位修得退学、
九州産業大学大学院経済学研究科博士後期課程修了。
博士（経済学）。
長崎農産品貿易株式会社代表取締役などを経て、
現在福井県立大学地域経済研究所教授。
専門分野は経済地理学、農業経済学。
著書に『農村地域の産業政策 -これからの農村の担い手像-』
（櫂歌書房）がある。

改訂版
「地《ち》方《ほう》」をマジメに考《かんが》える
交通・財政・観光・農業の実状をふまえた政策提言

発行日——2021年8月25日　初版第一刷発行
　　　　2023年11月1日　改訂版第一刷発行
著　者——前田陽次郎
発行人——坂本圭一朗
発行所——株式会社リーブル
　　　　〒780—8040
　　　　高知市神田2126—1
　　　　TEL088—837—1250
印刷所——株式会社リーブル

ISBN 978-4-86338-390-6